新しい日々

芝木好子小説集

書肆汽水域

目次

新しい日々

一

あけぼの染色工房の主人の安田透吉は若い娘をつれて出先から帰ってきた。娘は二十三、四歳で、身なりは悪くなく、スーツケースを一つさげていた。家出娘をどこかで拾ってきたという恰好である。ふだんなら人手不足でよろこぶところだが、あけぼの工房は少し事情がちがっていた。息子の夏雄は、

「いいんですか、人をふやして」

と父の顔を見た。

「荒井さんへ寄ったら預かってくれというものだから。まあいいさ」

綾瀬百合という娘はほっとして、夏雄とその母親に丁寧に挨拶した。

「君はなにが出来るの。働いたことある？」

夏雄は口早に訊ねた。

「なんでも教えてくだされば、しますから」

「染め物の色差しをしてもらう。難かしくはないけど、根気がいるよ」

夏雄がいうと、透吉は安心してまた問屋へ出かけていった。このところ生糸の相場が急変したのと、春先の気候不順で夏物が捌けなかったのとで、あけぼの工房は一つの危機にさらされていた。余った夏物は地方へ安く流してしまい、生地によっては地色を染め直して冬物に向けるのだった。工房全体が沈んでいるところへ飛びこんできた娘は運が悪かった。夏雄は彼女をつれて工房の中を見せて歩いた。真ん中が中庭で、四角に建物がまわっている。染色工房らしく型付け台や洗い場があって、中庭には染め上がった美しい小紋がしんし張りで長く伸びて干してあった。綾瀬百合は三人の女が机に反物をひろげて模様に色を塗っている部屋へ仲間入りした。夏雄は練習のつもりで下絵の紙に筆で色を自由につけさせた。染色家の荒井を頼ってきた女だから、少しは筆も使えるだろうと思った。

あけぼの染色工房は夏雄の祖父の代からの染めもの屋で、高田馬場から落合へ向かう川沿いにあった。このあたりは呉服の下職が集まっていて、染めもの屋の他に湯のし屋、紋かき、しみ抜き屋、仕立て屋などがあった。あけぼの工房は東京染めの中級品を扱っていて、夏雄はおもに図案を受け持っていたが、今度のように返品が多いと、勇んで新柄に打ち込む気になれない。彼はもう一つこの秋の代表作を生み出すために苛立っていた。

夕方、女たちは仕事を終えると、新入りの百合も一緒に部屋を片付けはじめた。彼女は夏雄によばれて図案室へゆくと、ちょっと恥ずかしそうに下絵を見せた。

「これ、君が描いたの？」

夏雄はおどろいて訊ねた。下絵はありふれた着物の柄であったが、百合の塗った色はまるで違う油絵の感じで、同じ柄と思えなかった。筆遣いもしっかりしていて、その色を使えばそのまま秋の新柄になりそうだった。

「君はきものの下絵を描いたことがあるだろう?」

「いいえ。絵を少し習ったことがあります」

「明日から図案も手伝ってもらおうか」

これは掘り出しものだ、と夏雄は思い、幸運が向いてくるのを感じた。彼は父が帰ってくるとすぐ下絵を見せて、この感じが染められるかどうか相談した。

「地色をパレットで塗ったように白とグレイで重ねてゆくのはおもしろいね。もちろん出来るが、一反の初めから終わりまで同じ調子に地色を引くのは難かしいし、手間もかかる」

「小父さんにふんぱつしてやってもらいますよ。うちも中級の上のきものを考えてもいいでしょう」

「それにしても色の感覚の良い子だな」

透吉もこれまでにない小紋を作ってみたいと考えていた。冒険はあるが、新しい傾向に発展してゆくのはたのしみであった。小父さんとよぶのは地色を刷く引き染め専門の男のことで、先代からいる老人であった。この工房には十人ほど働いているが、通いの者が多くて、住み込みは百合を加えて三人きりだった。

次の朝から百合は工房の掃除をはじめて、染めものの干し場になる中庭もきれいに掃いた。染めものが分業で型付けから色差しへ、糊伏せへと進んでゆくのが珍しいので、昼休みに工房の中を優子という仲間に見せてもらった。若い男たちが受け持つ仕事場は広い。

「あんたは図案を描くひとかい」

煙草を吸っていた中年の男が声をかけた。

「いいえ、色差しをします」

「だってあんたの図案を染める話が出ているよ」

そういえば今朝も図案を描いてみるように、夏雄に言われたのだった。別の職人が訊ねた。

「あんたの家はどこだい」

「北海道の札幌です」

「東京へなにしにきた」

「この工場へ働きにですわ」

百合がとっさにそう言うと、少し離れたところにいた若い男まで声を立てて笑った。

その男の傍は洗い場で、細い川のようにコンクリートで長い溝が作ってあって、染め上がった縮緬の反物をひろげると水道の水が流れて水洗いする仕掛けだった。

「工場のわきの川は神田川の上流で、昔は川で水洗いをしたらしいや」

若い男はなかば独り言にして教えた。

「ずいぶんきれいでしょうね、川に友禅や小紋が流れたら」

「川に足を入れる者は冷たいよ」

男は皮肉っぽく言いかえした。

「雄次さんは寒さ知らずが自慢のくせに」

優子が冷やかすと、若い男はそっぽを向いた。女二人は洗い場をまわって、引き染めをする細長い仕事場へきた。ここは小父さんと言われる老人の領分で、一日中次から次と地色を染めるのだった。

「仕事をしているとき傍へゆくと睨まれるわ」

と優子が教えてくれたので、百合は小父さんに目礼して通りすぎながら、つい足を止めた。張った布を染め上げた藍色がまだ濡れていて鮮やかだった。

「生きた色ですね。魚が跳ねているみたい」

百合が言うと、背をかがめて布の端をみていた老人は、にぶい表情のなかで彼女を見返った。

「色染めをすると、布が生きるからね」

「好きな色と、きらいな色とありますか」

「色はそれなりにおもしろみがあるね。若い時分はきらいな色もあったが」

「色出しは難かしいけど、たのしいですわね」

「ほう、色出しを知ってるのかい」

老人が訊ねると、百合はあわてて顔を赤くした。優子とふたりで仕事場を離れると、事務室のわきを通って二人は色差しをする部屋へ戻った。そこから中庭を挟んで老人の姿が見える。

「小父さんがあんなに気やすく喋ることは、めったにないわ」

と優子は言った。彼女はまだ二十歳で、この工房に住み込んでいた。

その日から百合は図案を幾枚も描かされた。小紋にこだわらずに好きな絵を描くつもりで、と夏雄は言って、一枚描き上げる度に、

「新しくて構図がおもしろいな。色をもっと明るくしてみたらどうだろう」

などと熱心に意見をのべた。下絵が幾枚かたまるまで百合は毎日残業をして描いたが、夏雄が気に入ってもそれで良いという気はしなかった。自分も納得するまで描き直して、気がつくと夜更けになっていることもあった。夏雄は自分の強引さに気付いて、

「大分おそいね。すぐ休みなさい」

と部屋を出ていったが、百合はこの仕事を苦痛とは思わなかった。むしろ気がまぎれてよかった。部屋へ帰ると、優子は寝呆けた顔で、

「夜中まで夏雄さんとよく続くわね。あなたもたいへんねえ」

気を廻した言い方をした。百合が色差しの仕事の代わりに重要な図案に廻って、沈

滞したあけぼの染色工房の新しい方向を生もうとしていることは、もうみんなに知れ渡っていた。翌朝百合が優子といっしょに起きて働いていると、夏雄が呼びにきた。彼も図案のことで頭がいっぱいで、おちおち眠っていられないのだった。新しい柄に賭けて、夏雄は百合の才能を精一杯引き出そうとしていた。下絵が揃うと透吉とも相談して、秋の新作を選んだ。それから百合と小父さんを呼んで、うまく色出しができるかどうか計ってみた。あけぼの工房ではこれまでに手がけたことのない、バタ臭い黄土色に枯れ木のある柄だった。

「こういう色の感じは出せるかね、小父さん」

「新しい色合いでおもしろいやね。きっといけるよ、大体今までが単純すぎたのさ」

「そういえば小父さんは染色家の引き染めも頼まれつけているからな」

いつになく機嫌の良い老人に透吉と夏雄はほっとして、明るい気分になった。若い百合と老人が一つ色を生み出すことになるのもおもしろかった。それから間もなく型彫りが出来てくると、仕事場は急に活気づいて、職人たちもいそがしくなった。いつもきびきびと働いている雄次が、夕方すれ違いざま百合をよんだ。

「よう、図案さん、今夜ボーリングへ行かないか」

百合はおどろいて相手の若々しい顔を仰いだが、

「そのうち連れていって下さい」

と言って会釈した。スーツケース一つで東京へきた彼女は気持ちのゆとりもなかったし、雨が降っても傘も持っていなかった。

二

一枚の絵と同じ模様が縮緬の染めものになってゆくのは、百合にはおそろしいような不思議さだった。どこでどうしてそうなったのか、大それたことに思えてならなかった。彼女は用事にかこつけて老人の仕事場へ行って、引き染めを眺めた。彼女が夏雄にしぼられて苦労して描いた模様や地色はうまく布に乗っている。老人は張った布へ大刷毛で丁寧に早く染料をつけてゆく。

「ちっともむらがありませんね。それに長い一反の初めと終わりの色も狂いませんね」

「ぞんざいに引くと、見る人がみればむらがわかるよ。模様は地色一つで生きたり死んだりする」

「私にも刷くのを教えてくれませんか」

「これで仲々難かしいよ」

老人は時折り手伝いにくる自分のおかみさんには気難かしい顔をした。彼の色出しは夏雄が心配したよりずっとうまくいっていた。色止めに蒸したあと、雄次たちが洗い場で染め上がった縮緬をすすぐと、鯉のぼりが空になびくようにきれいで、爽やかに見えた。百合は昼休みに決まって優子と見にいって、みとれた。

「あんたってなんでも珍しがるのね」

と優子はあきれた。水洗いなど毎日見ていておもしろくもないのだ。洗った縮緬を中庭へ干すとき、百合は雄次や武たちの手伝いをした。一生懸命手をかすので、男たちも邪魔だとは言わなかった。干し場には黄土色や紅藤色の縮緬が幾筋も干されて、美しかった。

「図案さんは幾つだ」

と雄次は二人きりになると訊ねた。

「私、二十四です」

「へえ、おれより一つ年上か、おどろいたな、子供かと思ったのに」

「あなた、私より弟なの！　いやだわ」

男らしく上背のある雄次を仰いで、百合は顔を染めて笑った。仕事場の雄次はきびきびして頼もしい青年であった。

「図案が描けたらいいだろうな。自分の作品が仕上がって得意だろ」

「ほんとに私の作品なの？　みんなで作ったと思うわ。売れるといいわね」

「デザインを勉強するかな。独立した時困るし、一生型付けもしてられない」

「ここの社長さんは図案を描かなくても、柄を選ぶのはきびしいわ」

優子がダンボールに入れた荷物を運ぶのをみて、百合も手伝いにいった。仕事場へ運ぶとき馴れないので中庭の端でつんのめって膝をついた。それでも抱えたダンボールはよごさなかった。顔をしかめて立ち上がると、仕事場の棚へ置きにいった。中庭に染めものが幕のようにひろがっていて、人に見られなかったのでほっとした。洗い場へゆくと、雄次が水道の蛇口を握って顎をしゃくった。彼女のソックスは泥がついていて、白い脛に血がにじんでいた。水道口へ素足を伸ばすと、雄次は水道のホースをあてて水を流した。人目がなければ彼は女の足を洗ってやりたいと思った。こんな気持ちは初めてで胸がさわいだ。百合も礼を言うのを忘れて駆けて戻った。

色差しの部屋から図案室へ移った百合は、夏雄のお供で展示会を見にいった。たくさんの反物を見るのは初めてで、目にまばゆくて、どれが良いか悪いかすぐにはわからなかった。その中にあけぼの染色工房が手塩にかけた秋のきものも飾ってあった。初々しい新柄は類型的でなく、気品があった。銀座の呉服店の主人に夏雄は挨拶した。

「大分勉強したね。あんたのところは引き染めの名人を抱えているからいいよ」

「ありがとうございます」

夏雄のうしろから百合もお辞儀をした。新柄をほめてくれる人に感謝しないではいられなかった。よそのメーカーの柄ゆきも見るようにと言われて目を向けたが、よくこんなにたくさんの柄があるものだとおどろかされた。透吉も会場に詰めていて、百合を見ると、おもしろいかと訊ねた。

「こんなにたくさんの反物が、みんな売れるでしょうか」

売れなければ食べられない、喰うか喰われるかの世界を現実に見て、彼女はからだの芯がふるえるのを感じた。工場に働く人たちの生活がかかっているのを知った。うんと勉強してもらうよ、と透吉は百合の背中を軽く叩いて気合いをかけた。新柄の出足は悪くなかったし、新米の図案家は彼にとって金の卵であった。

百合は背中を叩かれた瞬間から、今後の仕事が不安になった。好きなように描いた下絵はたまたま主人に気に入られたが、これからもそうとは思えなかった。若い職人が、図案さん、と冷やかして呼ぶ声や、アルバイトで色差しにくる近所のむすめや主婦のよそよそしい目差しをおもいうかべた。しかし家を出てきた彼女には、もう一度工場を出てゆく勇気はなかった。一工程ずつ手をかけて作る仕事や雰囲気も、きらいではなかった。

展示会の帰りに夏雄は新宿へ出て、百合を食事に誘った。窮余の一策とはいえ彼女を酷使したので、その埋め合わせの気持ちだった。家を出る時からそのつもりで、今夜はおもいきり遊ぼうと思った。季節季節を乗りきってゆかなければならない商売なので、峠を越すとほっとするのだ。レストランで食事をしながら、わずかの間にすっかりあけぼのの工房に溶けこんだ娘の顔を眺めた。彼女が来てから夏雄の毎日は充実していた。

「君は引き染めをやってみたいらしいね」

「小父さんの刷毛の使い方を真似したくて。私、型付けもしてみたいわ」

「それじゃ全部じゃないか。型彫りはどう？」

「小刀で彫るのでしょう？　習うと出来ますね」

「立派に染色家の素質がある。ずっと協力してくれるだろう？」

夏雄は黙ってしまった百合を見て、自分はずっと一方的に押しつけがましくしてきたと思った。彼女にはそれをうけいれる柔軟さがあって、好もしかった。二十七歳の彼は初めて望ましい相手を見出したという心の弾みもあった。考えてみると彼は百合をスーツケース一つ持ってどこからかやってきた女としか知らなかったが、うっかり口にすると、折角の雰囲気をだいなしにするような気がした。食事がすんで外へ出ると、街は夜になっていた。夏雄はアベックのゆくバーへ入って、音楽を聴きながら百合にもブランデーをすすめた。彼は気持ちよく酔っていた。

「君の彫った型紙が出来たら、ぼくが型付けを教えるから、あんまり仕事場へ行っちゃだめだよ」

「洗い場で染めものが流れに揺れるの、とてもきれいだわ」

「いや、君があっちへ行くと落ち着かなくて困る。職人は人は良いが、口が悪いから」

女が擦れるのはすぐだ、と彼は言いかけてやめた。彼女の良いところは自分の才能を知らない、人擦れしないところで、なにごとにも偏見のないことだろう。こういう娘が家出をしてくる背景が彼にはわからなかった。彼女の才能を引き出すことができるのは自分だけだと思うと、独占心と仕事への野心をかきたてられた。

ブランデーを飲んだ百合はぼんやり物思いしていた。あけぼの染色工房へきてからあまりに忙しくて、ふりかえるひまもなかった過去が、彼女をとらえているのだった。私は工場で役に立っているらしい。夏雄はさっきからしきりに二人で新しい柄を発見しようと語りかけている。それならずっと工房で暮らしても良いのではないだろうか。

しかしブランデーの酔いがまわるほど彼女は悲哀感を抱いていた。傷ついた感情が酔いの中から湧き立って、過去へ引き戻されるのだった。今夜はいいわと彼女は自分を甘やかしながら、目をつぶって捨ててきた日々を思い出していた。

夏雄と百合がその晩酒を飲んで帰ったことは、翌日のひるまでに工房の人たちに知れ渡った。百合が食堂へゆくと、まだ十八歳の武が、

「今朝は二日酔いですか」

と耳許へ囁いたのでびっくりした。良くも悪くも工房は一つ空気を呼吸しているのを感じた。雄次はなにも言わずに食堂を出ていった。

三

すっかり夏めいた陽ざしの午後、雄次が煙草を買いに出て戻ってくると、入り口のところに上品な中年の婦人が立っていて会釈した。この工場に綾瀬百合という者がいるだろうかと彼女は訊ねた。瞬間、雄次は胸さわぎがした。百合の肉親がはじめて現われたのである。

「いま呼んであげますよ」

彼は中庭の前を通って、引き染めの手伝いをしている百合を呼んだ。白いブラウスにサンダル履きの彼女は入り口へ歩きかけて、足を止めた。中庭を通して中年の女が見えたのだった。彼女の義理の母の文江だった。こんなように母が突然現われるとは思ってもいなかった。両方から少しずつ歩みよっていた。

「百合さん、元気だったのね」

文江は百合が近づくと日灼けしたその顔を眺めて、感情的になるのをかくすように、工場の中を見廻した。

「きものを染める工場らしいわね」

「そうです。あとでお見せしましょうか」

「ぜひ見せてちょうだい、お母さん初めてよ」

文江も百合も緊張して次の言葉が見当たらなかった。百合が家を出て三月になった。東京のデザイン学校へ行きますと書き残してあったので家族の者はずいぶん調べたが、デザイン学校は染色工場の住み込みにかわっていた。文江はやっと百合の旧友の東京の嫁ぎ先を探し当てて、その紹介で百合が染色家の荒井をたずねたことをつきとめた。この三月の間に文江は数度東京へ出てきたが、大都会の広さを今度ほど身にしみて感じたことはなかった。

「谷尾さんも二度上京して、デザイン学校を調べて下さったのよ」

谷尾は百合と関りのあった男だが、彼女はいま特別の感情もなく聞いていた。目の前の母の存在が強烈すぎるせいかもしれなかった。工房で他人に揉まれて暮らしながら、ひとりひとりは流れる藻で、肉親のいる者だけが帰りつく岸を持っていると彼女は思った。それほど文江は百合に自分の家を思い出させた。そこには父が黙然と坐っているに違いなかった。すまないと思ったが、彼女はまだ家へ帰ると決めてはいなかった。

夏雄が出てきて、事務室へ入るようにとすすめた。百合が家出娘ということはみんな知っていて、文江の出現に仕事場からも好奇の目がそそがれているのだった。事務室にいた透吉は文江を快く迎え入れて、百合をつれて来た日の話をした。

「染色家の荒井さんのうちでこのひとと行き合わして、ここへ来てもらったんでさ。

まあ縁があったのでしょう」

「娘がこういう大所帯のお宅で無事に働かしていただいているとは、ゆめのようです」

「よく働きますよ。新しい図案を描いてもらって、幾反か染めたほどです。デザインをやっていたんですか」

「油絵を描いていましたが、本人はデザインをやりたがりましてね。主人も私もそれより早く結婚させたいとばかり考えていたのが、いけませんでした」

文江は百合の顔をちらとみた。百合は一人娘で父親が可愛がっていたから、後添いの文江も気を配って大事に大事にしてきたのだった。家の雑用も百合にさせたことはなく、良人より大事にしたと文江は思っている。東京のデザイン学校へゆきたい志望は良人と二人で反対して、大学講師の谷尾との結婚をすすめたが、ある時二人の間にトラブルが起きて、百合はひとりで家を出ていった。ほんとうのところ、百合に一人で生きる力があるとは思えなかったから、最悪の場合を考えて文江は覚悟していた。染色工場の染めあげた布の幾本も干してある干し場の奥から、白いブラウスを着た元気な娘がこちらへきた時、自分の娘とは思えなかった。頰の色もいきいきして、生きてゆく自信さえ感じられた。文江はほっとして、自分の思い過ごしを恥かしくおもった。

「娘の描いたデザインが反物になったのは本当ですか。ゆめのようです。ぜひ譲っていただきます。主人もどんなに喜びますことか」

「御主人はお勤めですか」

透吉は訊ねて、百合の父親が大学病院の内科部長と知ると、おどろいて夏雄と顔を見合わせた。百合はスーツケース一つ持った家出娘として、どんな苛酷な条件にもたえて働こうとした人間だった。

「どうりで擦れたところのないお嬢さんだと思いましたよ」

透吉はとってつけたようにお嬢さんと言い、冷や汗を掻いた。夏雄も父と同様にショックをうけていた。打算からはじまって、彼女をくどいた日のことをぼんやり思い返していた。彼の工房は一つの危機を乗り越えたが、次から次と新しい危機が待ちかまえていて、それを助けてくれるのは百合のような役に立つ女でなければならなかった。しかしもう手遅れだった。あの時彼女が傾いてこなかったのは、彼のずるさを見抜いたせいであろう。

「娘は良いところで働かせていただきました。好きなデザインでお役に立って、自信が持てたと思います。私はどうやら育て方をまちがえていまして、お恥ずかしいですわ」

文江は早く良人に娘の顔を見せたいと言った。それに対して透吉は何も言えなかったから、息子の顔を見た。考えてみるとこの娘がきてから工房には爽やかな風が流れて、仕事の行き詰まりも少しずつほぐれてゆき、明るいきざしが見えてきたのだった。好運をもたらす娘を手放すのは惜しかった。

夕方、文江は自分の宿へ百合をつれてゆく前に、二階の外れにある百合と優子の寝る部屋をのぞいてみた。小さな座敷には姫鏡台がおいてあるきりだった。この鏡台の前で百合は優子の長い髪にブラシをあててやるのだった。別れた谷尾が、

「君はひとのためになる生き方をしたことがあるか」

と言ったのを百合は思い出した。結婚よりもデザイン学校へゆきたいと我を通したときのことだった。相手の気持ちや都合など考えもしなかったのだ。小さな部屋に赤

い座布団が二つあるのを見て、文江は涙ぐんでいた。姫鏡台の上の一輪挿しに白百合が挿してあった。

「きれいでしょう、私のボーイフレンドが呉れたのよ。下の仕事場にいる職人さんよ」と百合は言った。

「お母さんも、そのうちあなたに染色を教えてもらおうかしら」

「たいへんな仕事よ。趣味で染めるのはたのしいでしょうけど、商売はまるで違うんです」

百合は働きづめに働いて得た給料の額を、母には言えなかった。


文江が北海道へ帰ってしまったあとも、百合は工房で働いていた。母のあとについて帰って、こっそり詫びを入れるのはいやだったし、ひとりで帰りたかった。図案もあと二、三枚描いて、仕上がりを見てゆきたいと思った。夕方、彼女がサンダルを鳴らして洗い場へ水を汲みにゆくと、雄次が呼びとめた。

「図案のお嬢さんよ、いつ帰るんだ」

「図案さんでたくさんよ」

「おふくろさんがまた迎えにくるのかい」

「私はひとりで帰るわ。そのほうが堂々としているし」

「家出をしといて、威張ってるんだな」

「昨日家へ電話をしたら、父が出てきてなんと言ったと思う？　だいぶ貯金がたまったか、って」

雄次は声に出さずに笑った。仕事場の壁によりかかって、両腕を組んで百合を見下ろしていた。

「一人減るとさみしくなるな。おれ、好きだったんだ」

「私もよ。一ぺんデートしたかったわ。ボーリングに行ったことがないから、行ってみたかったの」

「あんなとこは駄目だ。もっと静かで薄暗いとこでなくちゃ」

彼は真面目に言い、百合はそういう彼が好きだった。

「でもいいや。ここの若社長の嫁さんに持ってかれるかとひやひやしたんだ。それよかましだ」

　雄次はあきらめよく言った。夏雄と結婚したら一生この工房にいることになったと、彼女は仕事場から中庭の先まで見廻した。引き染めの老人はまだ大刷毛を手から離さずに、前かがみに地色を染めているらしかった。一生刷毛を使いつづける老人を彼女は尊敬していた。

「時々出ておいでよ。飛行機で一時間しかかからないはずだ」

「そうしたいわ」

　百合はそう答えた。夏雄からも引き続いて図案を描くようにすすめられていた。出来るなら北国の自然を写した柄を描いてみたいと考えていた。この工房は彼女の第二の故郷になるはずであった。しかし来ることはないだろう。中年の職人が武をつれて入ってきたので、彼女は洗い場を離れた。サンダルでわが家のように気軽に歩きながら、中庭の干し場をぬける時、しんし張りしてひろがった染めものの青磁色の上りを、感慨深く眺めた。

31　新しい日々

脚光

いつもはあとを追ったことのない瑠美子ちゃんが、その日はどうしたことか外出の支度をしているおくさまにまつわって、愚図りだした。四歳の童女は甘えはじめると際限がない。出がけの気分を損われるのがきらいなおくさまは、それでなくても神経質で、すぐいらいらする。その日の服装にマッチした履物を揃えておかないと、お気にいらないほどだから、私はいつもお召物をみるや玄関へ走ってゆく。

黒いタイトな絹のスーツを着たおくさまは、その日いつもより手間取ったのに髪がうまく結えなかったのを気にして、手をやりながら奥から出てきた。その腰にまつわ

って駄々をこねている幼いむすめに、

「あきさんとおとなしく遊んでいるのよ」

と黒いエナメルの靴を履きかけた。するといつもは聞きわけのよい瑠美子ちゃんが、ママをやるまいとして、おくさまの手にした大切な楽譜を奪ったのだ。かっとしたおくさまは瑠美子ちゃんの白いマシマロのような頬を抓った。はげしい泣き声をあげ、母のリンチに怯えた童女は、私の手にしがみついてきた。

おくさまは玄関の敷石を真直に、あとも見ずに出ていったが、門を出るときちらっと振返った。黒い服のすんなりした立姿と、こちらをみた眼差とが、私には妙にかなしく映った。まだ険しい表情のまま振向いて、そこに泣いている子供をみてそのまま捨て去るように出てゆくおくさまは、おそらく愉快ではなかったろう。童女の柔らかい頬に与えた厭わしい感覚が、掌にいたく残ったにちがいない。それでもおくさまはいとしさよりも憎しみを子に感じているだろう、そんなひとだ。なぜおくさまは子供を生んでしまったのか、私はその不合理さをこの家にきた日から感じた。女性はなべて母性を備えているように言われるが、異例を認めないわけにはゆかない。瑠美子ちゃんは際立って愛らしい児で、誰だって可愛がらずにいられないほどだが、おくさまにとって、愛らしい愛らしくないなどは問題ではなく、子供の在ることがいけないのだ。自分のことで一杯のおくさまは、少しでも自分の心を煩らわし、自分の負担になるものを排除するのに懸命だ。おくさまは子供を愛するには、あまりに御自分の芸術に溺れすぎている。

子供はまた、母親へ過度に愛情を要求する。その馴々しさが、おくさまには理不尽にみえてならないのであろう。見境もなくもたれてくる子供は堪えられない。それなのに世間は子供に淫した母親をほめるものだ、とおくさまは皮肉まじりにだんなさまにいったことがある。それほどはっきりしたおくさまが、瑠美子ちゃんの泣き声で一瞬振りむいた時、私は母親の否応なしの鎖を見たと思った。切っても切れない関係というものは、おくさまには地獄であろう。

おくさまはなんでも幾度も妊娠したらしいが、極力生むことを避けていたそうである。それほど徹底してほしくなかったのに、どうして瑠美子ちゃんを生むことになってしまったのか。結婚して五年目で、夫婦仲も倦怠期であったたし、だんなさまの仕事がまた上り坂にかかるときで、御主人のたっての希望に負けたおくさまは、嫌々承服したのだと思う。女の一生にとって子供のための犠牲はたしかに並々ではなかったし、おくさまには想像以上のものだった。おくさまの歌手としての道は子供によって挫折した。その事が絶えずおくさまの心を傷つけるらしい。

「子供なんて、なんのために必要ですの。自分の生きる道をはばむくらいなら、ないほうがましですわ」

御夫婦の争うとき、きまってこの切り札が出た。するとだんなさまはまた、

「瑠美子が可愛くないのか」

と言い、二人は果しなく言い争うのだ。なにもしらない瑠美子ちゃんこそ災難だと思う。

朝、私は洗濯しながら、おくさまの発声の練習を聴く。その短い雄叫びのような、鋭い小鳥の啼き声のような、また円い艶やかな珠のような断続音を、貴重な鳥の啼き声をきくように珍しい気持で聴くのである。その音声は洗練されていて清らかだが、その声量は必ずしも豊かとはいえない。おくさまの肉体は美しい容姿で、巧緻な芸術

品のように気品にあふれているが、繊細で、声楽家にふさわしいものではなかった。あふれる音量はもり上った胸から、いのちとなって迸るのが自然だろう。大音楽堂を圧するオペラのプリマ・ドンナは、大管弦楽と闘って自分の美声を主張しなければならないのだから。ところがうちの歌姫は決定的なものを失っているのじゃないか、と私は疑った。

音楽学校に在学中のおくさまは、現在よりもずっとふくよかだった。私はその時分の写真を幾度も見せてもらったが、若さにみちていたし、いかにも外交官の令嬢らしい育ちからくる誇り高さがあって、眩しいほどの美少女だった。まだ一度も人に媚びたり、へりくだったりしたことのない少女の歌う高いソプラノを、私はこの耳に感じられると思った。音楽学校に隣接した大学の建築学科にいた添島青年は、早くからこのプリマ・ドンナの卵に目をつけていたそうである。両人は同じ成城に住んでいて、往き来の電車で親しくなった。快活で老成していて、頭の良い青年は、取澄した少女に近づくなど、なにほどの苦労も要らなかった。私にも恋愛の経験がないわけではないからわかるが、彼等の恋は、芸術という一致した目標のために、より激しく燃えたのにちがいない。添島青年は未来のプリマ・ドンナ添島奈美子が、やがて日本オペラ界に君臨することを、疑わなかったはずである。

たしかにおくさまのように何一つ不自由なく育って、思うままのことができるひとは、選ばれた人間であろう。私は初めてこの家へきた半年前のある朝のことを思い出す。私は居間へ挨拶にいって、そこに繻子のガウンを着たまま、ピアノに向かって歌っているおくさまの優雅な姿をみたとき、別の世界へきた心地がし、魅せられてしまった。

私はそれまで深川の豊洲にある、ある船舶会社の庶務課に六年も勤めていたが、生れも深川であり、ついぞ山の手に知己や親戚もないまま、こういう上品な雰囲気に触れたことはなかったので、この家のノーブルな女主人に心を打たれたのだ。その頃私は同僚の男に背かれたあとだったが、もし彼と結婚していたら、都営住宅に住むのが唯一の希望であるような、つつましい家庭の妻になって、贅沢とか高雅なものには触れる機会もなかったろう。男は私を捨てて、私より若いある医者の娘と結婚してしまった。私が古い環境を一切捨てたのは、失恋の絶望をきりぬける精一杯の反抗であった。私は偶然職業安定所からこの家へきて、世の中には私のような哀れな女もあれば、天性豊かにめぐまれたひともあると思った。私は贅沢な女主人をみていると、おかしいことだが、自分が慰められるのを感じた。おくさまは御自分では贅沢だが、召使には少しの浪費も自由もゆるさない、徹底的な距離をおいて次から次と仕事を命令した。それほど酷使されても私は少しも嫌ではなかった。私はおくさまから目を放さずに働いた。

おくさまのすることが、すべて私の関心を誘った。おくさまは外出のとき、亡くなった母堂からゆずられたものだという宝石箱を、三面鏡の前でひろげて、あれこれ物色することがある。私はわきに控えていて、おくさまの純白の胸に飾られる金のペンダントを、背後から嵌める手助けをする。すると私は鏡にうつるおくさまの胸の曝された色と、そのきらびやかな金の調和に恍惚となり、それがあたかも私自身に思えるのだった。何時から私はこんな繊麗な肌をもつことができたのか、この美しさで、憎い男を虜にしてやるのだ、と見入っていると、

「なに、ぼんやりしているの」

突如おくさまの冷やかな声が、私の夢想を揺りさまし、私を犬のように追い立てるのだった。

またあるとき、おくさまは一抱えの古い衣類を焼いて捨てるようにと私に手渡した。その中におくさまの着古したスリップやシュミーズがあるのを見て、私は胸がときめいた。私はひそかにほつれかけたフランスレースを繕い、身丈を詰めて、絹のスリップを自分に合うように直した。それを着たら私はおくさまと同じ夢をみるのではないか、と心がさわいだのだ。私がそれを洗って干したのがおくさまの目にとまると、おくさまは烈火の怒り方をした。

「すぐ燃しておしまい、自分の肌着を他人に着せるなんて、考えてもいやなことよ」

おくさまは他人によって自分の肌が穢される、と感じたに違いなかった。

だがおくさまの人生にも計算ちがいはあるものだ。「結婚」が人間を支配する力も、「芸術」が人間を翻弄する力も知らないおくさまは、何も彼もこれまで通り意のままになるものとたかをくくっていた。良人さえ意のままにし、子供さえ捨てることができたのに、もう一つのものが自由に征服できないなど、おくさまは思ってもみなかったのである。

十年後の今日、おくさまは時機を逸した未完成のプリマ・ドンナである。一度は「カルメン」のミカエラで評判をとったこともあるそうだが、その後の事情で歌劇から遠ざかっていたため、なんとなくくすぶっていて引立たない。しかしおくさまはチャンスがないからだと口癖にしていた。今度のR歌劇団の公演「椿姫」にもどんな役をやるのか私にはわからないが、椿姫でないことだけは確かだった。三日間の公演に二人の椿姫と二人のアルマンが交替で競演することは、新聞にも出ていた。オペラは出演者のアンサンブルから成り立つのだから当然かもしれないが、おくさまは毎日の練習に張切って出てゆかれる。今度の椿姫の一人は、おくさまとは音楽学校時代に同期の佐井礼子がやることになっていたが、おくさまはある時だんなさまに、

「よく肥って、元気な椿姫よ」

と冷笑を泛べて言った。私はおくさまが敵愾心をこめてものをいうとき、なんとなく心を誘われる。いつもは取澄しているのに、そのときだけいきいきとした血の通いを感じさせるからだ。この公演でおくさまが受持たれた切符は五十枚とかきいた。高

価な切符の負担は軽いものではないだろうし、一々他人に買ってもらうわけにもゆかないので、だんなさまは渋い顔をしたが、おくさまは高圧的に、

「最低がそれよ、それ以上捌けば捌くほどあたくしの顔はよくなるわ」

それから誰は何十万、佐井さんは何百枚といって、その財力やパトロンについて羨やんだりした。華やかな舞台を勤めるために果す義務はたいへんなものだ、と私は思った。だんなさまはそれを自分たちの建築事務所へばら撒いたり、知人に依頼状を出したりした。おくさまも声楽のお弟子さんや身内の人達に頼んでいたが、今度の舞台こそカムバックのチャンスだという気持らしく、初舞台の人のような緊張と熱意が感じられた。

舞台だのフットライトに私は無縁な人間だが、そこにはよほど心を迷わす魔が棲むとみえる。おくさまほどの人が、二言目に舞台、舞台とのぼせるのをみると、愕くほかはない。舞台に憑かれた人々は、脚光を浴びて、その役柄に化身して演じたり歌ったりするとき、そこに生きる自己を確認するのだろうか。そして自分の演じる仮像、そのヒロインに傾倒して美しいゆめをかけるに違いない。つまり舞台は自己であり、夢

であるのだ。もし単に観客の視線を浴びて、彼等を魅了しようとするだけなら、それは虚栄にすぎないと私は思うのだが、おくさまに訊ねたらもっと高邁な芸術論が語られるかもしれない。私はおくさまに向かって「たかが少しばかり声がきれいなだけ」などという気はない。人間のもつ麗質を磨いて、芸術として人を感動させる仕事は、立派なものだ。私は声楽を聴くのは昔から好きだし、職場の音楽サークルにも入っていた。オペラもサークルの人達と幾度か見たことがある。だがおくさまがぬきさしならない憧憬をオペラにかけて、それが絶対のものだと信じるのは、運命のような重さだ。舞台で歌うのが今ではおくさまのすべてで、歌を唄わない自分は存在しないのだ。おくさまの心は総てそこに奪われている、才能の有る無しに拘らず。

私にはそんな舞台が妖しい魔の棲むところに思える。そんな激しい場所にいるよりは、たかのしれた才能ならば、平和な家庭のなかにいるほうが気楽なのに。でもおくさまは光のあたるところが好きなのだ、スポットライトの当る所が。おくさまにとって陰は意味をなさないからである。従って瑠美子ちゃんはおくさまのなかでは居るべき場所がない。不用である。

私はおくさまのうしろ姿を見送ってから、まだ泣きやまない瑠美子ちゃんをあやして、

「そんなに泣くと、パパがびっくりしてお目覚めですよ」

となだめた。

だんなさまは昨夜おそくまで仕事をされて、まだ今朝は起きてこられない。起きればすぐお出かけだし、仕事の関係もあって夜の帰りも不規則で、旅行も多い。そんなことで瑠美子ちゃんは、他人の私の懐ろにいることが一番多い。

二階の寝室からだんなさまがパイプを口にしながら、降りてきた。薩摩絣に兵古帯を巻きつけただけのだんなさまは、学生さんみたいに気取りがなくて好もしい。和服好きなのに、おくさまが好まないので滅多に着ることもなかったのだが、私が縫い直してあげると、それからは寛ぐときにこの着物を着るのだった。だんなさまは瑠美子ちゃんを抱き上げて、どうして泣いたのかと訊ねた。ママにいじめられたと知ると、

「ママのあとを追っちゃいけないよ、ママはヒスだから」

「ヒスって、なあに」

「ヒスって、おっかない病気だ、ああ恐い、恐い」
だんなさまは私の顔をみて笑いながら瑠美子ちゃんを抱いて洗面所へ行った。やがてお嬢ちゃんを相手に食事をして、それから一人で身支度をして出かけられる。だんなさまはそれをしぜんにやってのける。おくさまの留守のほうがむしろ寛いでみえるのは、私の思いすごしであろうか。私はだんなさまのために、目立たないように世話をしてあげる。だんなさまが髭を剃ろうとすると、私はその前に電気カミソリをおいておく。だんなさまだけがそれを感じればよい方法のサービスをする。おくさまのことでたえず緊張している私の、それは小さな息抜きのような、また復讐のようなたのしみだ。

歌劇「椿姫」の初日がくるまで、おくさまの神経は日に日に張りつめられてゆくので、さすがの私も疲れてしまった。おくさまは毎夜寝つかれないとみえて、私を二階の寝室へ呼んでおそくまで足や腰をもませるのだった。だんなさまはそれを気にして、なるべく若い女の私を二階へよぶまいと気を使うのだが、おくさまは一度も私を召使以外の存在には感じないらしかった。私はその徹底ぶりが、これまでどんな手伝いも、半年と居つかなかった理由だと思った。でも私は子供さえ認めない女主人が、奉公人を認めないのは当り前だと、むしろ小気味よいときがあった。私はおくさまに尽すだけ尽してみるつもりだ。

私はおくさまのナイロンのうすいネグリジェの上から、華奢な腰やすべすべした脚を長いこと揉んであげた。すると私は自分が女だということをおき忘れるほど、その掌の下のやわい肌のぬくもりに、忘我のおもいを誘われた。昔高貴な上﨟に仕えて、鑽仰しながら奉仕した女房のように、私はおくさまに酔っている。正直のところ私は恋に破れた女だから、男への憧憬に胸を焼いたことがある。彼が他の女と結婚したとき、男を殺して死のうかと思った。それほどなのに私は彼の要求には、今でも不安と嫌悪の記憶しかない。私の感覚に狂いがあるのか、おくさまに触れていると、はじめて悩ましく美しい姿で男と女のゆるす姿が納得できるのだった。するとだんなさまがそれにふさわしい方に思えた。私は部屋に下ってから昂奮している自分に気付いて、腹立たしくなることがあった。私はおくさまに日々関心をそそられる、しかし酔う必要はないのである。

　舞台のあく日が到頭やってきた。初日は、なにか不思議に妖しいものがあるようだ。その前の晩は総ざらいであり、徹夜に近い稽古なのでおくさまは疲れたはずだが、その朝は昂奮に張りつめているのか、目を宝石のように光らせて、疲労の翳もなかった。外出の支度のとき、私もつい気が弾んだので、「舞台がそんなに幸福なのでしょうか」とたずねてみた。おくさまは上気した表情で、哀れむように私をみて、

「公演前のあわただしい胸のときめきは、人生の一番生甲斐のある瞬間で」「脚光を浴びるときの私は栄光につつまれている」と言う意味のことを、口早にいわれた。選ばれた人間の矜持にみちた表情はすばらしい。私は尊敬する。おくさまは自身の仕事に未来を信じている。未来の可能ほどこの世にあてにならないものはないのに。だから私はおくさまに興味がある。

　その日、私はだんなさまや瑠美子ちゃんのお供で、日比谷公会堂へゆくことができた。日本オペラのレパートリーは少ないとみえて、またしても「椿姫」だが、私はこのオペラの舞台は不運にして、まだ見たことがなかった。開幕のベル、やがて指揮者

が現われてタクトをとる、見事な前奏で緞帳が上ってゆく。開幕のかすかなどよめき、音楽の誘い、明るい舞台は華麗なパリの劇場である。上流の紳士や貴婦人がさざめいている場面から始まった。紳士たちは椿姫の噂をする。そこへ濃艶なマルグリット・ゴーチエが現われた。若き紳士アルマンが見染め、彼の恋は容れられて椿の一輪がマルグリットから投げ与えられる。

私はプログラムで、その貴婦人たちの中におくさまがいることを知った。長い裳裾を引いて紳士と腕を組みながらゆるやかに歩いている人。彼等は立止ると正面をむいて声を揃えて合唱する。どれがうちのおくさまだろうか。私たちの席は二階の正面からいくらか左よりになっていたが、あの勾配した席から私は乗り出してしまった。彼女等のなかの一番すんなりした人を求めてゆくと、どうやらおくさまに行きついた。それはサーカスの女の着るような紅いぴらぴらした安っぽい衣裳で、顔のくまどりの濃い貴婦人であった。そのメーキャップが私には気に入らなかった。それは強すぎて狐のように品位がなかったし、黒ずんでいて老けて引立たなかった。私はその貴婦人が唇を円くあけて、精魂こめて歌うのを瞶めた。まるで金魚のようだ。この一刻がおくさまを支えているのか、これが！　私はおもしろくなって舞台を見まわした。するとおくさまが舞台という四角い水槽の中にいる金魚にみえた。おくさまはそこで懸命に歌っている、しかしその声はここまで届きはしない。だのに胸を張って、私たちのもっと上の、三階の壁まで響けと歌っている。その合唱がわあぁんと私の耳に虚しく鳴った。

第一幕が終ったとき、私の唇に嘲りが漂ったのはやむないことだ。私は主役の椿姫がうちのおくさまであるような、漠とした期待を抱いていたらしい。椿姫の佐井礼子は貫禄のある容姿と明るいソプラノの持主だった。序幕から聴衆を惹きこむ手際はあざやかで、やがて「椿姫」を悲劇のクライマックスへとリードするのだ。途中瑠美子ちゃんが、独唱の女主人公を指して、

「あれ、ママ？」

とだんなさまに訊ねたが、このパパは否とも応とも言えずに曖昧な顔をした。なんと思おうと子供の自由だとしたのは、賢明だと言えるかもしれない。

マルグリットとアルマンの恋の隠れ家、男の父の懇願、男への愛想づかし、それか

ら椿姫の死の床と、オペラは筋書き通りに進行してゆく。愛する者同士が浮世の義理で添うことができないかなしみには、魅力がある。瀕死の女が、愛人の手に抱かれてうたう詠唱(アリア)は、私をいつか甘く包んだ。してみると私にはまだ恋のうま酒が舌に残っていたとみえる。私は一瞬おくさまのことを忘れた。このオペラの椿姫は堂々としていて、とても瀕死のヒロインにはみえなかったが、それでも声に哀愁が出て、詠唱も悪くなかった。

その晩、おくさまは疲れて戻られたが、機嫌は上々だった。私の差上げた葡萄酒を口にしながら、「椿姫」公演の成功をよろこんだり、仲間の出来栄えの噂をしたりしていた。私が愚かものらしくマルグリットの独唱を讃めると、おくさまは微かに眉をよせながら、「そうかしら」と一言言った。

おくさまは今度の舞台で喉に自信がついたし、劇団でも認めてくれて、だんだんによい仕事をくれそうだと、だんなさまに話した。おくさまは昂奮していて、いつまでも寝室へ入ろうとはしない。

「とても眠れやしないわ」

「熱でもあるんじゃないか」

だんなさまが冗談に夫人の白い額に手をやったが、おくさまは本当に熱っぽかった。敏感な体質とみえてすぐ地熱のように身体が熱ばむとみえる。この微熱は次の日にも下らなかったが、おくさまは意にもかけずに出かけた。私は弾んだおくさまをみるとかえって冷淡になった。私には舞台で粉飾したおくさまが、そこで完全に生きているとは見えなかった。私の鑽仰しなければならないおくさまは、その舞台で私のゆめを壊していた。

三日目におくさまの微熱はまた上りだして、ちろちろ燃えた。だんなさまは休演することをすすめたが、舞台人が舞台を休むのは、これしきのことでは許されないのだと、本人は問題にもしなかった。たとえ倒れても舞台に上るべきだと我を張った。自動車がきて、だんなさまに付き添われて出かける姿を見送って、私はひそかに首を振った。主役の椿姫ならともかく、その他大勢の貴婦人が一人位少なかろうと、劇に支障は来たさないだろうに。だがおくさまの心は舞台に酔って、満足しているから、その昂奮の上にのった芸術的良心は、栄光のあるところに誘われてゆく。そこへ行きさえすれば気分は爽快になり、少しばかりの熱なんぞは忽ち霧散してしまうに違いない。

その夜瑠美子ちゃんを寝かせてから、私はお二人の帰るのを待ちながら、椅子に凭れてぼんやり煙草をふかした。私は内緒で煙草を吸う。私は二十七にもなって他人の家へ奉公にきた。なんの取柄もない失恋女である。もし私に才能があって、打込む仕事をもっていたら、私の生き方もちがったろう。私は恋愛に破れて、勤め先も家も捨ててしまった女だし、私の人生はおくさまに比べたら虫けら同然である。私の父は江東のある区役所の近くの代書屋である。父は一時どうかして裁判所の代書屋になりたいと願っていたが、やはり今でも区役所のわきに小さな店を構えていることに変りはない。そこには私を案じている母や弟妹もいる。弟は去年アルバイトで大学を出て区役所につとめた。私が職安からこの家へ女中にきたのは、私の家庭のつつましさと靭さのせいだろう。男にそむかれたけれど私は死ななかったし、未来に期待も持っていない。私には多分これからも人生の栄光は一度もそそがないだろう。私は今頃オペラの舞台に立っている自動人形のようなおくさまを描いて、煙草の輪を吹いた。おくさまは他の人の分まで幸福なのに違いない。それなら私の分まで担ってくれるとよい。

私には受けることもできなければ、信じることもできない幸福がそこにあるなら、代って受けてもらいたい。おくさまは私の光の部分であり、私はその陰の部分である。即ちおくさまは私の分身と思えばよいのだ。

R歌劇団が東京公演で成功した「椿姫」をもって関西公演に出かけたのは、初演から二カ月ほどしてである。名古屋を振り出しに、大阪、京都、神戸を一日ずつ開けることになった。ところでちょっとした事件が起きたのである。主役のマルグリットに扮した歌手の一人が、アメリカへ歌の勉強にゆくことになっていた。この代役が誰に振りあてられるかということと、配役にいくらか異動があることが、出演者を緊張させた。おくさまは落着かない表情になった。R歌劇団ではいろんな事情で今のところ看板になるプリマが尠い。そのかわりには男性陣が豊富でこの方には事欠かないが、女性歌手といえばあとは若手が大挙しているだけだった。おくさまはR歌劇団の統帥者中沢氏に自薦運動をはじめたが、あれこれ探索したところによると、あらゆる女性歌手がそれぞれの手引を利用して、懸命に売込み作戦を展開しているとのことだった。

あるひとは音楽指揮者を擁し、他のひとは老練なバリトン歌手に泣きつき、或いはパトロンから中沢氏に働きかけていた。

競争がいくらか表面化してくると、おくさまは熱っぽくなってきて、その願望に執拗になった。一度でよいから舞台の中央で、身も張り裂けるばかりアリアを歌いたい願いは、すべての歌手の当然な祈りだろう。返り新参のおくさまはこのチャンスに自分を試みてみたかった。その年齢や過去の経歴や、他の条件からいっても、椿姫は添島奈美子にふさわしい役柄なのだと自負していた。おくさまはそのしなやかな指を折って二、三の若い歌手の名を挙げ、

「考えてもごらんなさいな、若い元気なお嬢さんにどうして椿姫がやれて。マルグリット・ゴーチエは娼婦で、肺病やみの陰翳がなければならないのに」

だんなさまに向かってさりげなく言いながら、語気には撥ねかえるほどの響きがあった。おくさまは歌だけがオペラの一切を支配すると考えるのはおかしい、とも言った。歌劇である以上、演技も必要なら、その役割にふさわしい容姿や条件も要るとも力説した。おくさまは自身の才能を信じていて、限界などを感じたことはなかったの

だろうか。それともあれほど若手を意識したのは、あのまだセーブしきれない、体力そのものの若々しい声量に圧迫を覚えていたからだろうか。この主役を巡る競り合いは芸能新聞にゴシップとして出たほどだが、私は華やかな舞台の裏はそんなものかと思った。

関西公演におくさまが発っていったのは、そうした暗闘の末のことだった。R歌劇団のおもだった女性たちの暗躍は結局不発に終って、椿姫の代役は本役の佐井礼子が一人で演じることで、凫がついた。初めからそのことを公表すべき首脳部は怠慢で、いたずらに団員を暗躍させ、分裂させせたに過ぎなかった。そればかりでなく今度の事件で、おくさまは自分に対する指導者たちの評価が、思ったほど高いものでないのを知ったらしい。その沙汰が中沢氏の電話で伝えられたとき、おくさまの顔は引緊り、目から一筋涙がこぼれおちた。だのにおくさまはいつもの通りの冷たい調子で、平然と電話の応対をしたのは見事だった。自負心の強い人だから、自分は切符を売るためのロボットか、などと皮肉をいったりもしなかった。

おくさまが関西へ行って不在になると、家の中は急に光を失って、ぼんやりしずまった。終日私は瑠美子ちゃんと暮した。この童女はもうママのいないことに馴れて、完全に私のマスコットになった。私は自分が子供を生んでも到底こんな麗質の子供は持てないと知っている。その子供が私の掌中にあることが、時々私をへんな気持にする。私はおくさまからこの幼女を奪ったのではないか。瑠美子ちゃんは私に甘えて、胸へ手を入れる。幼いものにはいつも懐ろが母なのだろうか。

だんなさまの帰りはまちまちだったし、夜の遅いことが多くて、時には酒場の若い女から電話のかかってくることもあった。私は適当にあしらった。仕事のことで二、三日軽井沢へ行っただんなさまが、ある晩戻ってきた。私はお風呂を焚いたり、お酒を用意したりして、万全の支度をした。その夜のだんなさまは仕事が緒についたことで、たいへん御機嫌になっていた。軽井沢の一つ地域に建てられる二軒の別荘が、今度の事務所の仕事であった。私がお酒をすすめながら訊ねると、だんなさまはその土地の地形や、それぞれに趣きのちがう山荘について喋りだした。一つは格納庫にそっくりの平たい洋館が樹間に建つのであり、他のものはブロックで組みたてた瀟洒な硝子張りの別荘であった。私はその屋根の色をたずねたり、全体のイメージを空想したりしていると、自分のもののようにたのしかった。私はだんなさまの説明に、自分のアイディアを途方もなく加えてみる、するとその広い居間には是非煖炉が必要になってくるのだ、それもいつだったか信州の山へ行ったときみたいに太い薪を燃す煖炉が……だんなさまは笑って、「君は案外ファンタジイがある」と私の意見を容れてくれた。こんなときの闊達なだんなさまが私は好きだ。仕事が真から好きで、創り出すものに寝食を惜しまない根気のよさがあって、その独創的な感覚は世間から高く評価されているのだ。

このだんなさまの仕事に、おくさまは耳を傾けたり、タッチすることは滅多にない。むしろあるときなどだんなさまの設計したS氏邸が、建築雑誌に発表されて評判になると、世間の評価が良人に加わってくるのを拒んでいるふしさえあった。おくさまの対抗意識は、弾み出すものの一切を嫉妬しているかのようだ。私がふっと、うちのおくさまはどんな別荘をおつくりになりたいのでしょう、と口にしたのは、あまりにだんなさまと打解けて設計に興じたのが、心に咎めたからではない。私の意識に、いつまでもおくさまがちらつくからだ。だんなさまは心なしか興ざめた顔になった。

「奈美子はだめさ、建築には興味がない。そりゃあ別荘を建てる身分になったら、あ
あだこうだと我儘な意見を出すかもしれないが、今の彼女にはオペラのことしか関心
がない。あれは昔から自分のことしか考えないひとだ。自分が第一義で、自分の才能
は神から授かった武器のように絶対なのだ。その見識が若い時は美しかったが、十年
経つと重荷になってくる。人生は躓きが多い、一つ躓くと彼女はそばにいる僕も同じ
ように躓かないと承知しない。それほど嫉妬深いのだ」
私は信じないふりをして首を傾げた。するとだんなさまはお酒に軽くなった調子で、
昔のことまで喋りだした。
「奈美子は結婚したことを、取返しのつかないことだと思っている。自分の声楽家と
しての挫折はそのためだというのだ。その理由もなくはないが、僕の身にもなってく
れよ」
おくさまは音楽学校を卒業してすぐR歌劇団の母体のAへ入団したのだそうだが、
嘱望される新進の一人で、将来のプリマ・ドンナと衆目をあつめていた。ところが結
婚して一年目に最初の妊娠の始末をした時、その手術が不手際だったとみえて、その

あと長いこと身体が元に還らなかった。おくさまは焦慮すればするほど痩せてしまうし、他のひとより歩調がおくれていった。アメリカ巡業に逸脱したことも大きなショックになった。それからあと繊細な身体に肺浸潤という病気が見舞った。これは軽微にすんで恢復したが、このつまずきはやはり響いた。プリマの夢が手からこぼれてゆく感じだ。負け嫌いなので練習は怠らなかったが、自信がなくなる。世間も楽壇も自分を忘れてゆくことを痛いほど感じた。

「その時分さ、彼女が瑠美子を妊娠して、生むか生まないかでずいぶん僕等は悩んだ。彼女は前にも僕に内緒で始末したことがあって、そうそうは母体に無理だ。結局生む決心がついたのだが、そんな星のもとに生れた子供は哀れだ。いやそれどころか亭主だってみじめなものだ。彼女は僕の伴侶として生きようとはしない。男としてやりきれない気持になるのも、無理ないと思わないか」

だんなさまは私をじっとごらんになった。私は頷いた。だんなさまは気の毒な立場にいる。芸術家が堪えなければならない困難を、おくさまと倶に堪えて、なんとか妻の夢を叶えてやりたいと協力してきたにしても、空疎な家庭の茶の間はさびしすぎる。

私はなんといって慰めてあげたらよいかわからない。だんなさまは手を伸して私の膝の手を摑んだ。私は自分の身体に戦慄が走るのを感じた。本能的に怯えて抵抗しながら、私はいつかこうなるのを予期していたと思った。

僕は君のようなドメスティックなひとが好きだ。こまやかな心をつかい、やさしく慰めてくれるひとが欲しかった。だんなさまはお酒にあおられた熱い息をふきかけながら、私に近づいて、私の肩を強く抱きしめた。私は慰めてあげる義務を強く感じた。なぜって、私はおくさまの分身になってみたかった。おくさまが私のゆめを担っているなら、私もおくさまのなかに入って、おくさまの生活の一端を担ってみたかった。おくさまの代りに、私でよかったら、よろこんでだんなさまに尽してあげたい。

その束の間のときを、私の脳裏に走ったのはおくさまの顔だった。自分がおくさまであり、おくさまがだんなさまであり、三つの顔が私のつぶった瞼の裏に火花のように明滅した。そのうち、なにもわからない渾沌とした無我に誘いこまれてしまった……。

しばらくして、だんなさまは二階の部屋へ去ってゆかれた。私はそこに残されて、倒れたまま、まだ夢をみているのかと思った。全身の緊張がゆるむと、深い疲労感で、ひどく空虚な気持になった。男盛りの良人と、美しくはなくとも女盛りの手伝い女を残して、家を平気であけたおくさまに、私は裏切をしたのだろうか。だんなさまを誘惑したのだろうか。おくさまが私に無関心で、一度も私を女性だとか認めなかった侮蔑を、利用したのだろうか。いえ私はただおくさまのためにそれをしたのである。だから明日からの私とだんなさまとが、別に昨日と変った立場になる必要はないと思っている。

おくさまのあらぬ噂を私に伝えたのは、みんなから鳩ちゃんと呼ばれているR歌劇団の研究生だった。小柄でずんぐりしていて、鳩彦という本名よりは伝書鳩の鳩ちゃんという意味の通称になっている口軽な青年だった。どんな些細な出来事もR歌劇団のことは、鳩ちゃんの口にかかると迅速に伝播されてゆく。おくさまが中沢氏と関西公演中ねんごろであったという鳩ちゃんの諷刺は、おくさまの態度が異常だったと耳打するとき、椿姫の「ああそはかのひとか」を歌ったのでわかった。私は鳩ちゃんをたしなめて取合わなかったが、厭な気持だった。これは妙な気持だ。私はおくさまに内緒ごとをしていながら、おくさまがだんなさまを裏切ることは、快く思えない。私にとっておくさまとだんなさまは表裏一体である。私はおくさまが中沢氏によって穢されるのは我慢ならない。それは私のしたこととは意味がちがう。

私は中沢氏を見たことはなかったが、写真では見知っている。ある日中沢氏から電話がかかってきた。

「奈美子さぁん、いますか」

という声を聞いて、私は、ははぁと思った。いくら劇団員を呼ぶにしても、他処の夫人を呼び出すのに、外人めいた抑揚で馴々しく奈美子さぁん、と名前をいうのはどんなものか。私は鳩ちゃんが中沢氏のポーズを真似て、髪を撫であげる仕種をし、上着の塵を払い、ハンケチを入れ直し、両手を軽く組んで左右に会釈しながら歩いてゆくのを見て、噴きだしてしまったが、その外国仕込みの気取った初老の紳士とおくさまとが、ある点で似合うから気になるのだ。私がおくさまに電話を取次ぐと、おくさまは丁度指の爪にマニキュアをしていたが、すっと立って物もいわず電話口へ行った。おくさまはいつになく柔らかい甘い声音で、受話器の人と話している。言葉が舌の先で弄ばれているような粘っこさだ。いつも取澄してぴんぴんものをいうおくさまの、これは裏声というべきか。この調子がだんなさまとの密室も支配するかと思った時、私は思いがけず胸が熱くなった。これは奇妙な感情である。

おくさまはその日もあわただしく外出をした。私は家計費をいくらか受取っておかなければならないと思ったが、つい言い出しそびれてしまった。瓦斯代の集金、牛乳屋の払い、洋服屋からの付のいいわけ、私はおくさまの化粧台を片付けながら、香水吹のゲランの「夜間飛行」を嗅いでみた。それから衣裳箪笥の中のシックな絹のドレスの数々、豪奢な銀の靴……。おくさまはやはり私の及びもない特権の世界のひとであろうか。

そのうちR歌劇団の次の公演の取沙汰がはじまって、「ドン・ジョバンニ」や「フィガロの結婚」が話題にのぼったり、また鳩ちゃんが飛んできて、おくさまにさもまことしやかに、アメリカ巡業の話もあると伝えたりした。しかし藤原歌劇団でさえ外国巡業はやっとの成績なのだから、規模の小さいR歌劇団ではおぼつかないだろう、と鳩ちゃんはいずれ誰かの意見の受売りを喋った。

次期公演が決まって「ロミオとジュリエット」が発表になったのは、それからまもなくだった。おくさまは配役の予想をあれこれと立てて、ジュリエットや、その母親や、いくらかソロの入る役についてだんなさまに話したりしていたが、自分が主役級に選ばれる自信があったのかどうか、どの役をやりたいとはおくびにも出さなかった。この配役の予想は見事に裏切られた。今度選ばれたメンバーのほとんどは、若い青年グループによって占められたのである。まだ二十五にもならない人達が歌うことに決まろうとは、流石の鳩ちゃんでさえ伝えることの出来ないニュースだった。

おくさまがこのオペラでもらった役は、まったくお粗末なものらしく、おくさまの打撃は相当なものだった。幾日も不機嫌のまま黙りこんで、お弟子さんのレッスンも休みになった。専門外の私にはおくさまの真価は解らない。しかしおくさまが苛酷な評価をうけて翅をむしられた蝶のように、息絶えそうにみえると、苦痛な気持だった。私は一度でよい、おくさまを、誇らしげに舞台の中央へ立たせてあげたいと思った。

この暗鬱な家に、その頃流行りだした悪い流感が早速やってきて、瑠美子ちゃんがいきなり高熱を出した。それから二日目にはおくさまに伝染していった。二人の病人を抱えて私が奮戦しているところへ、軽井沢の完成した仕事を見にいっただんなさまが、やっと戻ってきた。

「これであきさんが倒れたら、どうなる」

とだんなさまは、私を心配して物陰に抱いて、ねぎらってくれたが、そういう御本人もまた瑠美子ちゃんのよくなったのと交代に、熱を出してしまう始末だった。私はお医者の指図に従って、暇さえあれば喉を嗽いして予防につとめたが、元々丈夫に生れついていたのである。私の看護の甲斐あって、だんなさまは四日目にはそれでも起きだすことが出来たが、おくさまは一向捗々しくなく、終いには神経痛を起したりした。私はおくさまの世話の一切をよろこんでした。そんなことで三週間も手間どってしまったのだ。病中、おくさまは中沢氏に電話をかけて呼び出したが、中沢氏は電話口に出なかったし、見舞いにもこなかった。鳩ちゃんがたずねてくれて、ジュリエットに抜擢された研究生の練習ぶりを伝えた。首脳部がその声の調子に一喜一憂しているともいった。おくさまは鳩ちゃんのそんなときのおもしろおかしい声を聞きながら、暗い、あらぬ目をして、返事をするでもなかった。

ある日おくさまは自動車を呼んで、初めて稽古場へ出ていった。私はなにかしら心許ない、不安な気持で門の外まで出てみたほどだが、やはり予感が当ったのか、その夕方おくさまは真蒼になって帰ってきた。そのただならない様子におどろいて、すぐ寝室に運ぶなり、私はだんなさまの事務所へ電話した。だんなさまが急いで帰宅して二階に上ると、しばらくしておくさまの細い草笛のような泣き声が洩れた。おくさまが栄光の座を滑り堕ちた実感が、私のからだを衝きぬけたのは、この瞬間である。私はやるかたない悲哀と暗い絶望に襲われた。してみると私はそれほどおくさまを愛していたのだろうか。私には自分の気持がよくわからない。私は頬へうすら笑いを泛べて自分を嘲けった。たぶん私は良い星のもとに生れた人の、幸福や光栄に輝く美しい姿をみるのが珍しかったのだ。自分が貧しいから、豊かなものが珍重された。その支配に易々と服した。でも私は心の一方でおくさまの失脚を待っていたのではあるまいか。

おくさまはその日から、寝たり起きたりの病人になった。医師が注射をしに通ってきたが、捗々しくなく、気鬱性とでもいうのか食事も進まなかった。私があれこれ料理を作って無理にすすめると、それまで無言で拒んでいたおくさまが、俄かに癇を立

てて、

「要らないといったら、さっさとお下げ」

とヒステリックになって、私を奴隷のように罵った。また別の日には私がおくさまの衣裳の手入れをしていると、いつのまにかそばへきて、すぐ蔵いなさい、今日から自分の持物には一切触れさせない、と恐い見幕で命じたりした。また私と瑠美子ちゃんが睦まじく遊んでいると、おくさまが急に子供の名を呼んで、奥へつれてゆくことがあった。おくさまはきれいなリボンを出してきて、幼い娘の髪に結んでやっている。ありふれた母と子の風情にしても、おくさまがそれをすると私は不安になるのだ。とそれも束の間、おくさまはもう瑠美子ちゃんをうるさがって、押しやった。

ある日、私が洗濯物を山ほど取りこんできて、せっせと畳んでいると、おくさまはそばへきて、柱によりかかったまま見ていた。私の仕種がたのしそうに見える、とおくさまは呟いた。

「へんね、洗濯物が乾いたからたのしいなんて」

「ほんとに、一番単純なたのしみなんでございます」

私はおくさまの知らない、また出来っこないよろこびを、理解してもらう必要はないと思った。

「あきさん、いつまでもいてちょうだい。あんたがいなければ、この家はやってゆけないわ」

おくさまがそんな無気味なことをいって、急に古い真珠のブローチを呉れたことがあった。私はうやうやしくいただいたが、このやさしさが私の気を滅入らせた。私はすぐさまそのブローチをどこかへしまってしまった。

歌劇「ロミオとジュリエット」が公開されて、その批評が新聞に出た。主役級に若手が起用されたのを、新聞では舞台が若返って新鮮だと褒めてあった。母親役の佐井礼子も特筆すべき好演だと書いてあった。私は華やかなフット・ライトに照らされた舞台や、そこで相擁して歌う恋のデュエットを想像してみて、脱落した歌姫の心を思ってみた。おくさまは脚光のない暗い壁間をみて暮していた。そのうち気を取直したのか、瑠美子ちゃんにピアノを教えはじめたので、だんなさまはよろこんだ。しかしそれも一週間とはつづかなかった。忽ちおくさまは癇癪をおこして投げてしまった。

幼い子供を教えるには、それは性急でありすぎたのだ。

不眠症のおくさまは夜毎睡眠薬の力で、やっと眠りにつくらしかった。だんなさまはおくさまが眠るとほっとして、抜き足で降りてきて、酒をくれといわれることもあった。私とだんなさまは、おくさまのためにひそひそと心をくだいた。

ある日珍しく鳩ちゃんが訪れてきた。「ロミオとジュリエット」の公演が終って身体が暇になったのだった。鳩ちゃんは今度の公演にも抜擢の幸運に浴さないで、コーラスをつとめただけだった。彼はある著名な作曲家の異母弟だそうだが、そのためにオペラの道を歩くとしたらへんなもので、私にはミュージカル・コミックにでも出たらずっと鳩ちゃんにふさわしいのではないかと思った。私がそれをいうと、鳩ちゃんは道化て、

「格式、格式」としゃちこばってみせた。

おくさまと鳩ちゃんは歌の話をしていたが、おくさまはいつになくしんみりと、恩師の深淵満貴子先生についてレッスンをやり直したい、そして来年か再来年にはリサイタルを持ちたい、と洩らした。鳩ちゃんはそれに賛成し、しばらく両人は深淵女史

の噂をしていた。おくさまはそうしていくらかの活路を見出そうと、あがいていたに違いない。

深淵満貴子女史を訪れるために、大磯へ出かけたおくさまは、それきり帰らなかった。翌日の夕方だんなさまから捜索願が出された。おくさまは深淵先生のところへ、一旦はきたのである。先生は生憎東京へゆかれて留守だった。おくさまは夕ぐれの海の見える先生の邸の庭に下りて、しばらくそのあたりを逍遥していたが、やがて近くの松林が昏れかけてから歩み去ったということだった。

それきりおくさまの消息はわからない。今日でもう七日になる。捜索隊は附近一帯は勿論、おくさまにゆかりのある土地をくまなく捜査しているそうである。私達の誰もがおくさまはもはや亡くなったに違いないと信じていたが、口には出さない。人間の死を口にするのはおそろしいことだ。おそらくおくさまは大磯のどこかの山に入って、睡眠薬を多量に嚥んで、永い眠りについたのではないだろうか。

私は今日、お暇をもらって江東の家へ帰してもらうことにした。だんなさまは感傷

的になって、

「きっと帰ってくれるだろうね」

と繰返して言われた。お前だけがいまの僕を支えてくれる慰めではないか、とも言われた。瑠美子ちゃんも私のあとを追って困らせた。私は戻るかどうか解らない。その二日間にどこかの産院で、誰もしらないお腹の中の子供を始末するつもりだ。今はそのことで一杯である。おくさまの死が、私のうちに燃えつづけた火を消してしまったのだ。おくさまのいないこの家の生活は、私とは不似合な、不調和な、無縁のものにすぎない。私にとってはおくさまの在ることが、私の生きるあかしであった。私は闘ったり、つくしたり、たのしんだり、心配したりした。おくさまは私の光の映像だった。私はそこに仮託して生きた張りのある日々を忘れないだろう。おくさまのように自我を殺すことが出来ずに、己れに殉じたひとを、悼まずにいられない。そしておくさまの破れた姿をなつかしまずにいられない。美しいものは滅びてしまう。だんなさまは、月日が経って悲しみが癒えたら、今度はあたたかい、ドメスティックなおくさまを迎えるとよいのである。

白萩

浅野の家を初めて訪れた日のことは七年した今も忘れることはない。家も庭も今と変っていなかったし、庭の木々のほどよく配置された一隅に独立した離れがあった。秋子はその離れへやがて自分が住むことになろうとは、そのとき考えてもいなかった。

父の友人の原田教授が彼女に縁談をもたらしたのは少し前であった。数年前に母を亡くしていたので彼女はずっと老いた父と二人で暮していた。姉は遠方に嫁いでいたし、兄はその家族と暮していたから、父をみるのは自分しかいないと思っていたので、父自身が娘を気にかけて縁談を頼みにいったと知るとうろたえた。人間は元々ひとりだ、と父は言った。食べるものの用意も出来ない父が、ひとりだ、もないものだ、と彼女は思った。しかし原田教授は秋子のスナップ写真を知人の息子に見せたところ、会ってみたいという返事だったと伝えてきた。まあ気楽に、友人がひとり出来ると思えばいい、と教授は言って、秋子のはかばかしくない返事など気にもかけなかった。

先方には息子が二人いて、長男は大学の研究所に勤めているが気むずかしい質で、結婚を急ぐでもなく好きにしている。次男は商社勤めの気持の良い青年で、秋子の写真を見て気に入ったらしい。次男の方が万事に気楽ではないか、と教授は彼女の立場を考えていた。父はそれに対してなにもいわなかった。秋子は父の気持を計りかねていた。そのころ彼女は原田教授のいる大学の文学部の図書室につとめていたが、静かで、人とのふれあいも少く、彼女の気持に叶っていた。

ある日の夕暮、外部の閲覧者がきている時、原田教授が入ってきて、やあ遅くなった、と若い男に声をかけたのだった。それが浅野俊二であった。秋子は新しくきた図書を見ていて、気にもしなかった。なぜ感じるものがなかったのだろうか。閲覧カードがそばにあった。浅野俊二も気を遣って、いま初めて彼女をまともに見たとみえ、眩しい目をした。原田教授の一方的なやりかたに呆気にとられていた秋子は、なるほど友達がひとり増えるというのはこんな出会いから始まるのかしらと思った。男の態度は人見知りがなく自然であったから、彼女も楽にふるまえた。かえって閲覧室の奥にいた学生が意味ありげにこちらを見ていた。

しばらくして部屋に鍵をかけた秋子は構内を横切って、二人の待つ喫茶店へ行った。彼女は飾りけのない服装をしていた。父はともかく姉が見たらなんというだろうか。彼女も人並に飾るのが好きな年頃もあったが、今は自然なのが気に入っていた。絹の白いブラウスか、目のつんだ光沢のある白絹のような木綿のブラウスが気持に合っていた。浅野俊二は借り出した明治の実業家の伝記を手にしていて、

「滅多に手に入らない本です。これだけでも今日は収穫でした」

と快活に言った。喫茶店の狭い卓に珈琲の香が立つ。前にも若い男とこうしていた時期があった、と秋子は思った。今日の原田教授のようにそばにいる者があっても目に入らないほど惹かれあった相手だった。ある時前髪を掻き上げて顔を合すと、男は目をとめて、君はおでこだな、と言いながら、額の髪の生え際のうぶ毛を見ていて、

彼女が目を瞑ったときの顔を思い描いていたのだった。浅野俊二も彼女の目から上へ視線をそそいでいた。

先刻面白いものを見ていましたね、建築家の図面ですか、と彼は聞いた。やはり彼女の前を通る時一瞥したとみえる。ええ、日本の家の構造ですわ。建築というのは図式の中に創造があって、眺めていて飽きません。建築事務所に二年ほど勤めたことがありますの。彼女は言い、浅野俊二は、なぜ罷めたのです、と聞いた。それは人間関係ですわ。彼女は真直ぐに彼をみて答えていた。そこで親しかった男は外国へ行ってしまい、終局が来た。図書室は退屈しませんか、一日は長いでしょう、と彼は問いかけたが、秋子は自分に合う場所と思っていた。原田教授がそばから、学生や若い教師はこのひとを見に図書室へゆくらしい、と言い、浅野俊二は笑った。秋子は彼のことはなにも聞かなかった。

あとになって父に相手の男をどう思うかと聞かれた。彼女は浅野俊二に会ったことを話していなかったから、父は原田教授から知らされたのだろう。不本意な出会いだったので、冗談もまじえて、可もなく、不可もなしね、と答えると、それが人間に対する答えか、と父にたしなめられた。厭味のない青年だが、男に出会ってはっとするものがなく、燃えてくる感情もなかった。過去にはもっと不安のともなうよろこびがあった。お前は結婚が長く平坦な道だというのを忘れている、と父は言った。痩せた彼はシャツの胸許からあばら骨を覗かせながら、長く生きた日を追想していた。妻を亡くした日から老け込んで、停年で罷めた大学から他へ移ろうともしなかった。

日曜日の朝、原田教授からちょっと来ないかと電話があった。ちょっと来ないか、は危ない。少しも構えたところのない教授のやりかたは見当もつかないが、またおどかされるのではないかとためらった。しかし話に決りをつけるには返事をしなければならなかった。老いた父が望むものをすげなく断るわけにゆかないが、のめり込んでゆく気持もなかった。原田教授の家を訪れると、庭へ出て薔薇の手入れをしていた教授は部屋へ上ってきて、近くの神社の境内に植木市が立つが、行ってみないかと誘った。君は結婚してもアパートに住むのはやめなさい。土のしめりのある家を借りて茄子でも育てることだ、と言った。

夫人がお茶を運んできて、若い方に無理ですよ、とたしなめた。秋子は顔をあげて、父はどうなるでしょう、と聞いた。痩せてみすぼらしくなった父を置いてゆけましょうか、と本気で訊ねた。父は長男と暮す気はなかったし、ひとりで巡礼に出るほどの気力もなさそうであった。一緒に暮してなにを語らうわけでもないが、秋子は古書などを読んでいる父を捨てる気はしなかった。

原田教授は彼女の父の気質を知っていて、意にかけなかった。一旦娘を嫁に出したいと言ったからは、それで気持は決っているよ。君の父親は打算では動かない男だ。ぼくが引受けたのもそのせいだ、と言った。夫人の運んできたメロンをスプーンで掬ってたべると、原田は気早く立上っていた。廊下へ出て、植木市へ浅野俊二を誘う電話をかけているのが聴える。ああ始まった、と秋子は思った。彼も同じ私鉄の沿線に住んでいるとみえる。

多摩丘陵に沿ったところに古い神社があって、境内に植木市が立っていた。秋子は珍しいので眺めてゆきながら、意識の中で浅野俊二が現れる瞬間を期待していた。ここまでくればそれしかなかった。植木の中に根をつけた酸漿の木があって、青い袋をつけているのが愛らしかった。気がつくとスポーツシャツを着た浅野俊二がそばへきていた。背広の姿より体格の良い、男らしい匂いがしていた。彼は親しげに会釈した。ある日を境に眩しい親密感がめばえるのはおかしな現象である。彼は男っぽい目で、彼女を上から下まで見ていた。秋子はとまどいながら、嫌とは思わなかった。植木市は珍しいでしょう、と彼は話しかけた。元々周りに土着の農家が多いところだという。原田教授はしきりに植木を物色していたが、浅野俊二は興味を示さずに、たえず秋子を気にかけていた。教授は五月の鉢を買い、植木市を出ていった。来た時と違った道だが、住宅地の外れにひろがる田園が気持よかった。彼らがゆきついたのは浅野家であった。品の良いたたずまいの家で、庭もほどよい。出迎えた俊二の母は未亡人ということだが、まだ若さの残るおだやかな婦人であった。

原田教授と秋子は奥へ通されたが、そこは気持のいい洋間で、ごたごたした飾りなどはなかった。庭も清々としている。俊二の母の多恵は食堂の扉をひらいてお茶を運んできたが、食器棚の美しいグラスを秋子は好もしく眺めた。母を失った彼女の忘れていた家庭の匂いがする。父と秋子のまわりには家庭の匂いは稀薄であった。彼女の帰りが遅ければ父は何時間も腕を拱いて待っていて、食事はそのあとにあわただしくしつらえられるのであった。多恵は秋子へすんなりと口を利いた。数年前まで近くの小川で芹を摘んだり、蓬で草餅を作ったりしたが、今は川のまわりがコンクリートで固められてしまった、と嘆いた。俊二は母の話にうっとうしい顔をみせなかったし、秋子も温和な夫人を好もしい人柄のひとと思った。

彼女の掛けたソファの位置は庭に面していたが、その時庭木戸から痩せて長身の青年が入ってきた。目を凝らすと、先方も彼女に目を当ててこちらへ寄ってきた。彼女は別れた男が来たかと思った。「徹生さん」と夫人は呼んだ。この家にもうひとり息子がいることを教授も秋子も忘れていた、といえば言える。痩せた男は根を新聞紙で包んだ植木を提げたまま、ある距離で立止った。俊二が、兄ですというと、男は会釈した。光る目でふしぎそうに彼女を確かめている。彼の手にした植木を教授がなにかと聞くと、白萩です、と答えて地べたに置いた。長いやわらかい枝につぼみは付いていない。それは植木市で買ったのではない。神社の裏の疎林をぬけて奥深くゆくと、ゆるい丘陵から窪地へ出るという。そこにすすきや萩の群落があって、ひっそりと咲くのがすばらしい。白萩を根分けしておいたので、今日散歩のついでに取ってきた、といった。原田教授は、ほお、といったきり瑞々しい萩の株を見下していた。白萩の群落が無人の窪地に燃える光景は、秋子にもおどろきであった。茫然としていると、彼は萩の株をおいたまま、会釈して庭木戸のほうへ引返していった。裏手へ廻ったのか物音もしなかったし、改めて挨拶にも現れなかった。客に無関心というのか、自分を邪魔と感じたのだったか。白萩はどこに植えられるのだろう、と秋子は庭を見た。一株の若木のためにこの庭は表情を変えるに違いないと思った。

男は俊二とはあまり似ていなかった。神経質で気難かしい、ひとりよがりの、まわりと自分を切離して暮す人間にみえた。そう思うのは以前に同じ質の男を知っていたせいかもしれない。彼女はその男によって辛い思いをしたのに、今また胸さわぎするのだった。彼女は男をも一度確かめるために、ここへ引返してくるのを待った。運んできた萩もそのままになっている。兄はハンターの入る道をひとり歩きするのが好きらしいです。林も窪地も自分の庭くらいに思って、花を根分けするんです、と俊二は話していた。多恵がそばから、あとの面倒をみてもらいたいですよ。植えたら植えたきりなのだから、とこぼした。二人の息子を持った多恵を秋子はふしぎな存在に感じていた。性格の違う息子たちのどちらに余計な血を分けたのだろうか。秋子は奥の物音に耳を傾けていた。

浅野家の離れで俊二との新婚生活を始めたのは春になってからであったが、秋子は父を捨てた、と思っていた。父は年金と、いくらかの著書の印税があったので、通いの手伝いを置いてひとりで暮して、長男の家へも行かなかったし、秋子の家へも来ることはなかった。彼女が姑の好意で食べものなどを届けても、話をするでもなく、倖せかと聞くでもなく、しばらくすると落着かないそぶりで、そろそろ帰らなくていいのかと急かせた。夫の出張の留守に来たりすると、そのことを嫌って、暇があれば本でも読めと言った。秋子は父といると昔は口にしなかったようなことまで喋った。原田教授は初め秋子の写真を順序として兄の徹生に見せたが、彼にはまだ結婚の気持がなかったという。俊二が写真を覗いてみて、悪くないよ、と言ったので彼にお鉢が廻ったということであった。妙な気がするわ、と秋子は呟いた。私の結婚はなんだったのだろう、兄と弟の紙一重で、弟へ廻ったのだったわ、と皮肉をいったが、父は取りあわなかった。結婚などはどのみち縁なのだ、と言うきりであった。でも私を振った男が義兄で、母屋に暮していて、時には顔を合すのですもの。女にも誇りがありますものね。彼女は父がこうした微妙な話をきらうのを知っていて喋った。心にしまっておくと、くすぶって毒素になってゆきそうだからであった。お前、厚かましくなったな、と父は眉をよせた。結婚前の彼女はひっそりと自分をおおっていて、心をのぞかすことなどなかった。お父さんが退屈しているかと思って話しているのに、と秋子は言い、父がどう思おうと父の無聊や孤独をまぎらわすことが出来るなら良いと思った。

夕暮近く父をおいて帰る時、たばこを買うといって父は駅の近くまで送ってきた。女は夕暮に家路へ向うと心が急く。父と別れる町角で、大丈夫？　気をつけてね、というと、父は、ばかな、お前こそ気をつけろと言う。ひとりで戻ってゆく老人の後姿は孤愁にみちている。父の孤独と引替えに彼女の結婚は成り立っていた。父の願いを前にして縁談を断る勇気はなかった。彼女は婚家に帰ると、急に言葉を忘れた気持で、一とき気が沈んだ。俊二は彼女が父のことにも、肉親のことにもふれないのを、珍しいな、と言った。君にはなにを考えているか分らないところがある。結婚前に恋愛をしたか、と聞いた。あなたは？　と彼女は訊ね返した。無意味な詮索をしてなんになるだろう。君のことを全部知りたいからさ、と俊二は苦笑した。ある夜、寝る前に彼は女の三面鏡をひらき、抽出から口紅を取り出した。秋子は今もほとんど化粧をしない。彼は女の唇へ口紅を引きながら、唇の肉のやわらかな弾力をふしぎな生きものに感じていた。唇からはみ出した紅さは顔を妖艶にする。夜の灯の下で官能的である。受身の女の変化に彼は興奮した。秋子はそうして変えられてゆくのを嫌とも思わなかった。父から厚かましくなったと言われたのは本当かもしれない。父に対しても、夫に対しても居直っている女の性を、罪深くはずかしく感じもする。

多恵に呼ばれて母屋へゆき、寛いでいる時、二階から徹生が降りてきて二人を見比べることがある。自分の家の居間に若い女が坐って馴々しくふるまっているのを、腑におちない顔で見ると、秋子は身のおきどころもない気持になる。男は写真を一目見て撥ねのけたと思うと、羞恥と屈辱が心にしこって、怨みと反撥がめばえる。彼がソファに掛けると、彼女は夫より念入りに珈琲を淹れた。多恵は料理上手だが、珈琲の淹れ方に凝ったりしない。

「この珈琲はなに」と彼は一口飲んで聞く。

「さあ、秋子さんが珈琲店で挽いてもらってきたのでしょう」

彼はゆっくり飲みほして、立っていった。気に入ったようね、と多恵はいうが、彼の口からはなにも出ない。気取ってるでしょう、あれは父親譲りなのよ、難かしい顔をして本当のことを言わないのだから、と多恵はわらった。秋子は同じように濃い珈琲の好きな男を思い出しながら、未練が重なってゆくのを感じた。

日曜日に秋子はある画家の回顧展を観にいった。俊二は絵よりもスポーツが好きで、始めたばかりのゴルフをしに朝から出かけていた。秋子は絵を観て帰ると、カタログを持って母屋へ行ったが、多恵は留守で、居間に徹生がいて同じカタログを開いていた。彼女は咄嗟に手にしたカタログを隠そうとしたが、徹生は見てしまい、いつ行ったのかと聞いた。

「いま帰ったところですわ」

「ぼくは朝のうち観てきた。混まないうちにと思ったが、混んでいた。寡作で人ぎらいな画家がずいぶんと好かれるものだ」

皮肉に言った。

「城も、雪景色も、三色菫も、点描のやわらかいタッチが美しいですから。画家が人ぎらいなのは、絵にのめり込んで、絵を可愛がりすぎるせいですか。少し絵に淫していますわ」

「確かに繊細で、裸婦を描くように三色菫を描いている。画家は絵で心身を充しているのかもしれないが、しかし淫しているとはね」

徹生は奇妙な感じ方をする秋子を珍しそうに見ていた。

「この画家は老齢で弱々しげな、死にかけた人間なのに、絵は甘く若やいでいて、異様ですわ。気味悪いくらい」

「君にかかると甘美な絵が、化け物になる。ひとりで観たの」

と徹生はいくらか関心を示した。

「いつもひとりです。絵にひたるのはひとりに限りますの。面倒な連れはいりません」

徹生は拒否された気がして鼻白んだ。秋子は会場で彼に会わなくてよかったと思った。一緒に上野の杜を歩いてお茶を飲み、一つ家へ帰ってくる自分たちを思いうかべると妙な気がした。彼はそんななりゆきをよろこばないどころか、迷惑に感じるだろう。俊二が、うちは愚弟賢兄さ、子供のころの勉強からしてそうだった、と言ったことがある。徹生の意志一つで彼女の運命も違うものになったが、彼は振ったのだった。その傷は決して忘れないだろうと秋子は思った。多恵が裏口から帰ってきた気配がすると、徹生はカタログを手に、すっと出ていった。二階へゆく足音がした。多恵が入ってくると、秋子は絵を観てきた話をした。

「画家は自分の感情を絵に表現するのでしょうか。それとも隠しておく部分があるのかしら。清冽な絵でしたけど気になりました」

「隠す部分があるほうが陰翳があるわね。俊二も行けばよかったのに。話が合うのに」

多恵はすまなそうな顔をしたが、秋子は絵が好きでもない俊二と行ってもはじまらないと思った。

俊二は出張して帰らない日がある。多恵も親戚の法事に出かけて、秋子は母屋の留守番をした。夕方徹生が戻ってくると、風呂を浴びて、夕食の時間がきても多恵は帰らなかった。しばらく待ってから二人は食事をした。奇妙に弾まない、ぎごちない食事で、秋子は誰かに見咎められる思いにとらわれた。彼は困惑しているだろうと察しながら、ひそかに見果てぬ男と女を感じていた。危険な想像を抱いていると、取りつくろった間から情緒が滲み出てくる。彼はなぜ結婚もしないのか。俊二は兄の好みにあう相手などいるものか、と言った。俗っぽい女はいやだそうだが、男と女の生活に俗っぽさがなくてどうするのだ。兄はいまにつまらない、実体のない影みたいな女を摑まされるぞ、と悪口をいった。その声が食事の間耳の端にあった。徹生は黙って食事を摂っているが、若い女を感じるのが煩わしいのか、彼女を見なかった。秋子はなぜか彼の嗜好も、御飯のつけ方もすぐ分った。食後のお茶も父に淹れた通りにして出すと、彼は気に入った。

「お父さんのお仕込みか。うちのおふくろは一生淹れていて、うまくいったことがない」

「御自分でお淹れになれば。それが一番だわ。文句も出ませんし」

「折角褒めているのに。君は見かけよりきついね」

徹生は顔を引いて、興味深く秋子を見た。俊二はお茶の味などにこだわる男ではなく、いそがしい仕事に生甲斐があって、女とのふれあいも率直で、はげしい。彼は閉された心の世界など顧みる暇もなかったから、兄を窮屈だろうな、と評した。ああいう人間は絵を描いたり、詩を作ったり、自身の世界をクリエートすればいいのさ、といっていた。秋子はいつの時も兄弟を比べている自分に気付いていた。

「丘陵の奥の白萩の群落を、盛りの頃に見せて下さいませんか」

秋子はいつか言おうと決めた言葉を、思いきって口にした。徹生は良い返事をしなかった。

「かなり歩くから、秋子さんにゆけるかな。うちの白萩はよく根付いたから、今年は花がたのしみだ」

徹生の植えた萩は母屋と離れの間の灯籠のそばにあった。秋子は彼にはぐらかされて気が沈んだが、それなら俊二に頼んでも行こうと思った。人目にふれない萩の花燃えをどうしても見たかった。

季節がめぐってきて、母屋も離れも硝子戸を明け放つと互いの動静が分る。彼女は母屋が絶えず気になった。今は別れた男とかかわりなく、徹生の存在が気持の邪魔になってならない。顔に出すまいとすると、なお胸にしこってくる。俊二は夏も勤めに出るが、大学の研究所は休みに入る。徹生は読んだ本や画集を何気なく居間に置くようになった。秋子は忽ち読んでしまう。彼は試すように読後感を聞いた。ふたりが「ゴッホの手紙」に触れて喋っていると、話が合うのね、と多恵はおどろいた顔をした。

俊二が上役のお供でシンガポールへ二週間ほど出張することになった。秋子は萩の群落を見にゆきたいと夫に頼んであったが、あやしくなった。兄貴に連れていってもらえよ、ひまじんなんだから、と俊二は言った。彼は留守の間の戸締りを注意して、父親に泊りにきてもらえといったが、彼女の父が来るはずはなかった。夕食だけ多恵によばれて母屋へゆくことになると、ふしぎな新しい暮しになった。秋子は予期しない出来事を感じた。自分たちのもう一つの賽子が振られて、よく似て違う生活が始まっている気がした。徹生は弟とは趣味も嗜好もちがって凝り性だが、彼の欲しいものがすぐ分った。なにげなく食卓に小さな切子のグラスをおくと、彼は待っていたように葡萄酒をそそぐ。多恵を中にしながら、グラスを傾ける男と向いあった秋子とは別の次元にいた。多恵が俊二を話題にすると、秋子は現実に引戻されながら、徹生の上に急いで俊二を重ねていた。庭の萩がそのころ咲きはじめていたから、徹生は母と秋子を丘陵の窪地まで連れていってもよいといった。多恵は山歩きは苦手で、手を振った。それは初めから分っていたのだ。

　ある晴れた日、黒い鍔広の夏帽子を被った秋子は徹生のあとから神社の裏の疎林へ入っていった。到頭念願が叶ったのであった。それは彼を見た日から分っていた。この道は猟をする男たちの入る獣の道であった。途中の台地へ出ると一旦視野が展けるが、また繁みが続く。秋子は一時間も歩くと足が重く、気持も落着かなくなった。うかうかと来たのではない。萩の道へ挑戦したのだったが、思ったより遠く、人目のない道であった。徹生は狭まった道の両側からかぶさる枝を払いながら彼女を通した。傾斜を下りてゆく道で彼女は膝をついた。これほど荒れた自然のままと思わなかった。彼は手を差し出し、抱き起した。秋子は屈折した感情を一つにしてもたれていった。しばらくして気がつくと、前方が明るんで、窪地へかけてのすすきの原がひらけていた。萩の群落は低い斜面から裾にかけてかたまっていた。白は少く、紅が多かった。叢生した萩のこんもりとひらいた枝に、小蝶のように並んだ花を彼女はぼんやり見ていた。男も少し離れて立ちながら、前方へ目をやっていた。
二、三日、秋子は母屋へ行かなかった。その夕暮、俄雨になったので多恵に頼まれて秋子は徹生を迎えに駅まで行った。彼は期待もなしに駅から出てきて、彼女を見るとうろたえた。雨はしとどに降って暗くなった道に撥ね返った。並ぶのは憚られた。人の絶えた暗い角を曲ると、彼は振返って、濡れたろう、と聞いた。彼女は傘の中で首を振ったが、ある情緒が醸されてゆき、雨のしぶきに打たれながらおそろしさを感じた。
家に帰ると多恵が出迎えて、タオルで徹生の服を拭い、秋子はわきをすりぬけて奥へ行った。多恵は、自分が迎えにゆけばよかった、秋子さんもすっかり濡れて、俊二に叱られる、と呟いた。

雨に打たれたせいか風邪気になって、その夜秋子は物憂い熱っぽさで床についた。ぼんやり枕に顔を埋めているうち、うとうとすると、雨の中にひたひた足音が近づく気がした。人が家のまわりを歩いているようだが、激しい雨の中で足音が聴えるはずはない。浅い夢をみたのかと耳を澄ますと、男が雨戸をあけて入ってくる気がし、悪寒が走った。微熱の出た幻覚かもしれない。雨音は、戸を打つ音にも似ていた。

徹生が福岡の大学から招かれて移ってゆくことになったのは、俊二が帰国した少しあとであった。恩師の口利きで急に決った話で、直ぐ発つことになった。多恵には思いがけないなりゆきで、長男を送り出すことになった。それにしても彼の出発はあわただしかった。それほど急ぐ必要はないのに彼の身勝手で出てゆくらしい、と多恵は気付いていた。なにがあったとも思えないのに秋子もぼんやりしている。俊二が兄の荷造りを手伝った。間もなく徹生が発ってゆくと、急に家の中はがらんとして、多恵は気落ちしていた。秋子は身体の具合が悪く、物憂い顔をしていたが、ある日異常が起きて病院へ運ばれてゆき、流産した。

そのあと秋子はしばらく父の家へ戻って静養した。彼女の父はなにも出来ないで、ただ縁側の椅子にかけて見守っている。秋子は夫の初めての子を身籠ったのを知らずにいて流産したのは、罰なのだと思った。見えない糸を投げかけて人をまどわせたせいだった。原田教授にアルバイトの口を探してもらって、ひとりで生きられないだろうか、と考えた。夫の許へ帰ることは出来ない。

週末に俊二が見舞にきた。彼は明日にも妻を連れて戻りたいと舅に告げた。

「あと一、二週間は無理だろう。人間はぼんやり自分を捨てている時間が必要らしい」

父はそう答えていた。俊二は不服だが強いてとは言わなかった。

「子を亡くすと、女はひどく参るようですね。気分を取戻すのが大事だと思います」

「済まないことをした。気持が立直るまで待ってやって下さい」

父の挨拶が秋子には応えた。俊二は彼女のそばへきて坐った。流産した子は三月になるところで水子として消えてしまい、性別も分らなかった。俊二は彼女の体質が出産しにくいのを知った。すると嘗つてないほど妻をいとおしく感じた。

「次の週末に帰ろう。迎えにくる」

「……まだ、分らないわ。子の霊がどこかにさまよっているの。きっと女の子ね」

「すぐ落着くよ。母が待っている。母もひとりになったし」

俊二は今度のことをきっかけに、彼女の父が娘を引止めるのではないかと不安を抱いていた。

「子供はまた出来るさ。家に帰ろう。一からやり直せばいいじゃないか」

彼は本気で言い、父親がひとりで暮す家に不吉を感じた。秋子はやはり帰れない気がした。彼女には一週間先のことも分ってはいなかった。

季節がめぐる度に秋子は萩の枝をおろした。花が終ってしまうと株だけにする。すると翌年はすいすいと枝を伸した。枝下しを忘れたあとの年は咲きが悪かった。多恵が老いてきたので家の中のことは秋子の分担がふえていった。歳月が流れたが、子供がないせいか、彼女は心底から婚家に安住している気はしなかった。花の手入れの度に一年ずつ年を重ねてゆくのを感じた。俊二は仕事で外地へゆくこともふえていて、ゆっくり語らうひまもなかった。

福岡で徹生が結婚の相手を見つけて式を挙げたのは一年あとであったが、妻になるみさ子はすでに妊娠していた。式に出た多恵と俊二は帰ってきても多くを語らなかったが、みさ子は美術出版社に勤めていて、結婚式の前から二人はしっくりゆかなくなっていたという。みさ子が勝気なうえに、徹生のわがままが重なって、感情が一つくい違うと人前でも棘々しくなってゆき、俊二ははらはらしたと言った。どちらも大人気ないのですよ、と多恵も嘆いたが、子供が生れることに期待をかけるしかなかった。

子供は男の子で、誕生して二年ほどはみさ子も仕事を罷めていたが、多恵が正月に行ってみると子供を託児所へ預けて、また勤めに出ていた。孫は行く度に大きくなっていたが、家の中は落着きが悪かったから、多恵は早目に帰ってくる。一度三人で東京へ来るようにとすすめても、徹生にその気がなかった。俊二は、兄貴は見栄坊だから弱音を吐くのがいやなのだろう、と言った。兄貴にかかると理想の女も一夜で幻滅になるのだ。あれなら女は遠くに見ているしか仕方がないさ、とも言った。女が年をとることも幻滅だろう、と秋子は思った。彼女と多恵は子供のためにセーターを編んで贈ったが、みさ子からは受取った返事も来なかった。荒涼とした家庭が目に見えてくる。多恵は孫を見にゆかなくなった。行かないというより、行けなくなったのを、苦にしていた。

徹生が四歳になる淳をつれて突然上京してきたのは、夏休みになってであった。五年ぶりに現れた彼は痩せて骨張った顔をし、目だけがとび出たように際立った。身装りもかまわなくて、身嗜みのよかった頃のおもかげはなかった。秋子は彼に目をあてたまま言葉をなくしていた。男の子は父親似で調った顔をしていて、わらうとあどけなかった。秋子さんは変らない、と徹生は微笑した。住み馴れた家からも過去が立ってくる。彼は子供にあれこれと教えている。男の子の母親は家を出ていってしまい、子供の世話は徹生がみていたという。心労で参っているが、子を連れてきた男には親らしい情が漲っていて、子も親も一つになっている。淳は母のいる大牟田の実家へ行こうとして聞かないのを、なだめて東京へきた。みさ子は大牟田には居ないで、長崎へ行っている。みさ子と話合うまで二十日ほど子を預ってほしいと徹生はいった。次の間であそんでいた子供が入ってきて聞いた。

「幼稚園の始まるまでだね」

「そうだよ。あの枝をひろげた萩に、白い花が咲く頃だ」

徹生の指差した萩の枝は人の丈より高く伸びて、さわさわと小さい葉を揺すっていた。わずか一株を新聞紙にくるんで彼が庭木戸から入ってきた日から、七年近く経っているが、秋子は忘れることはない。心の屈した徹生は白萩の咲く日をたのしみにするわけでもなく、眺めている。

その夜兄弟は酒を汲み交した。みさ子は若い男と出ていったが、いまはひとりで、悔いているようだ、と徹生は酒の力で語った。昔から兄に一目おいていた俊二も酔ってきて喋った。みさ子さんだけが悪いわけじゃない、どっちもどっちだ、と。徹生はそうだ、と肯定しながら、久しぶりに肉親の中にいて棘々しかった感情がゆるみはじめていた。子供のためにもみさ子さんを迎えに行ってほしいと俊二も多恵も言ったが、うまく解決するかどうか分らなかった。

徹生は多恵と秋子に子を託して福岡へ戻っていった。あとに淳が残った。淳は聞きわけの良い子だが、子供がひとり加わると家の中は一変する。絵本や動く玩具が部屋に散らかり、洋服がどろんこになる。玄関先に近所の女の子がきて「淳ちゃん」とよぶ声がする。淳ちゃん、淳ちゃん、あそびましょ。声は甲高く、単調にいつまでも繰返された。淳は秋子の部屋が好きで、来ると机や鏡台の抽出を明ける。あ、と思うようなところも明けてしまう。押入の中の文箱をあけてしまい、彼女をぎょっとさせる。買物にゆくとき淳は必ずついてきた。道の真中で子供たちと遊んでいるときも淳は走ってきて彼女の服を摑んだ。母親ともそうしていたに違いない。

日暮に秋子が近くの公園へ淳を迎えにゆくと、他の子供の親も迎えにきていた。ママ、と呼んで女の子が走ってゆくと、淳も、ママと呼んで秋子の胸へとびついた。子供の錯覚か甘えか分らないまま、彼女は胸を衝かれた。抱きしめながら、淳が自分の子であってもいい、流産した子が生きていれば少し上だろうかと重ね合せた。徹生の子に愛憐の情をそそいでいる自分を意識した。初めの見合写真が切札で、徹生によってなにもかも変ったかもしれない、と幾度思ったろう。淳が現れて、また過去の悔いが還ってきた。同じ悔いを男も知らなければならないのだ。彼女は離婚もせず、なにごともなく生きてきたが、あれ以来、心に深淵を抱いただけ俊二に尽す気持が切になった。淳がよごれた手を秋子の前にひろげて、ママと言うと、彼女は手をきれいに拭いてやる。俊二がそばで見ていて、代用ママか、とふたりをしげしげと見比べるのだった。

ある日子を風呂に入れている時、淳は秋子へおかしなことを言った。

「東京のうちの地べたの下にもトンネルがあるの」

「ないわ。なぜトンネルがあるの。地下鉄を走らすつもり?」

「違うよ。地べたの下をシャベルで掘るんだよ。それを運んでいってストーブに燃すんだ」

なんのことか秋子には分らない。分らないのを淳はもどかしそうにする。誰に聞いたかと訊ねると、ママだよ、と少しはにかんで言う。この場合のママはみさ子だろう。その夜秋子は俊二にその話をした。彼はしばらく考えていて、それは石炭のことだろうと言った。みさ子の生れた大牟田は石炭地帯で、地盤の底は石炭層であり、長年月に掘りつくして、海底まで及んだというから、淳はその話を聞いて地の底にスリルとゆめを抱いたのかもしれない。そういうかたちで母親は生きているのだ。

ある日秋子は淳をつれて父のところへ行った。父は廊下の籐の寝椅子に掛けて新聞を読んでいた。まだ生きている、と秋子はじろじろと父を眺めた。

「徹生兄さんの子の淳ちゃんです。良い子でしょう」

彼女が男の子を見せると、父の顔は信じられないほど笑みに柔らいだ。よく来た、というと嬉しげに立っていって、冷蔵庫からあれこれと取り出してきて子供にふるまった。

「君は幾つです。福岡はどの辺りですか」

　真顔で聞くと、淳ははきはきと答えた。男同士の話がはじまるのを、秋子は見ていた。父は小さな孫を欲しがっている、と感じた。父は渇いた心を癒すように弾んで、男の子に問いかけ、淳は臆したところもなく答えている。小さな手が老人の膝におかれ、やがて寄りかかりながら秋子の土産のアイスクリームをなめはじめた。父は菓子の類を好まないが、二口、三口、嘗めた。うまいね、と淳がいうと、美味いですね、と父は答える。秋子はにやにやしながら、父の物言わない日常をみ、ある日枯死する老人の幻影を抱くのであった。男の子は老人の肩によりかかって、ぼくもうじき福岡へ帰るのという。それはいつですかな、と父は聞く。白い花が咲く頃よ。あれ、なんの花かな。秋子が萩の花よ、と教えて、ついでにいった。あなたのお父さんが植えたのよ。君、ずっと東京の子になったらどうです、と老人が言う。しかし男の子は父が迎えにくると信じている。老人はどこからか新しいトランプを出してきて、これを君に上げてもだめですか、と聞いた。

　午後おそく秋子は淳をつれて父の家を出た。淳はトランプをしっかり手にしている。

父はまたおいで、とは言わない。すべての甘い期待を自分に禁じているようだ。門に立った老人を一度ふりかえったきり、秋子はわが子を抱くように手を引いて歩いた。淳の上に面影を宿す徹生は、子の母親を引戻さなければならないだろう。

庭の萩が白い花をちらっと付けた。枝垂れるように高くやさしく枝をひろげた萩の葉にまぎれて花が咲くのは優雅である。花は数日すると真白い化粧をして秋のけはいを匂わす。淳はこの花が長く咲くことを知らない。気付いた日から父を待っている。多恵が福岡へ電話をすると、徹生が出て、近々迎えにゆきますと答えた。みさ子のことを聞くと、東京へ行ってから話します、といったきりだった。多恵は五分五分の希望をつないでいて、淳を離さない秋子へ、情を移しすぎてはだめよ、といった。

ある日淳が外から走りこんできて、

「パパが来たよ」と叫んだ。女たちが立ってゆくと、徹生が玄関へ入ってくるところだった。なぜ父に飛びついてゆかなかったのか。

こいつ照れている、と徹生はわらい、息子の頭へ手をおいた。徹生はなんという変り方をしたのだろう。この間より更に痩せて老けて、分別を弁えた男の顔になっていた。若く鋭く、ぴりぴりした神経を持つ表情は、どこにも残されていなかった。淳は大事な鞄を持ってきて、この夏の間の収穫である兜虫や、トランプや、リモコン自動車や、外国の小銭を次々と出して父に見せた。徹生はそれらを興味深く見ていて、おざなりではなかった。子供は明日の午後の新幹線で帰ると知ると、うそじゃなかったね、と言った。庭の白萩は散りかけていて、まだ終ってはいなかった。こんなに可愛がられたのにこの家より福岡の家がいいのかねえ、と多恵は秋子と目を見合した。

その夜、大人たちの時間になると秋子は酒の支度をした。徹生はみさ子と曲折があったとしても、やり直すことにしようとしていた。彼は俊二に、お前がどっちもどっちだ、と言ったんだなあ、と自虐をこめて、その言葉は応えたといった。俊二は兄が子供の世話をしていると知った時から、兄をみる目が変ったと話しながら、酒を注いだ。多恵が寝たあとの深夜まで彼らは酒を飲んだ。子供は可愛いよ。子のためなら節を曲げるくらいなんでもないのだ。秋子さん、早く子をこしらえなければ駄目だ。ぼくが言えるのはそれだけだ、と心から徹生の言うのを、彼女は聞いていた。なにかひそかに持ち続けた女の芯になる感情が萎えてゆくのを、秋子は感じた。

翌日の昼前、家を出る時淳はあとも見ずに飛び出そうとしていた。子供には子供の別れの感情があるに違いない。小さいなりに感傷をきらうのだろうか。淳にはそういう感じ方のところがある。幼いが堪えることも知っているし、哀しみも知っている。親しんだ者への情愛にも敏感である。さよならしなさい、と徹生にうながされている。俊二の前で秋子は手を振った。淳は駅まで送りにゆく多恵と歩いてゆき、徹生も秋子の父によろしくと言い、門を出ていった。痩せた肩が目立ち、髪も伸び、背広もくたびれている。しかし子を持った男の情愛と分別が年輪に滲んでいる。秋子は男の去ってゆくのを見ていた。

やがて俊二にうながされて秋子は庭をまわり、離れへ戻ろうとしていた。俊二が低くわらいながら、君の偶像も落ちたな、と言った。秋子は息を詰めたまま、土の上に白萩の散るのを見ていた。

晩秋

霧が下りているのか空は灰色で、ドゴール空港の上空まできながら航空機は着陸出来ない。洋子は小さな窓から外を覗いていた。初めての旅に胸がさわいでいる。隣りの席の博行は馴れていて、

「冬に向う季節のパリは、いつもこんなだ」

と言う。彼の勤める電機会社の仕事でこの二、三年というもの海外の出張が多いせいである。飛行機に乗る際まで仕事をして、乗るやいなや寝てしまう夫を横にして、彼女は長い十数時間を期待の中にいた。ようやく機は下降して着陸態勢に入った。

博行が珍しく旅行に誘うまで、こういう機会があるとは洋子は考えてもいなかった。ふだん彼がパリへ発てば彼女も地図をひらいてパリを追い、彼がリヨンへ行ったと知ればリヨンを想像するのが洋子の愉しみだった。

「リヨンには川が二つあるのでしょう。丘の上に古いノートルダム寺院があって、途中の坂に今にも崩れそうな家々があるようね」

彼女が帰ってきた夫に言うと、彼は、

「そうだったかな。ともかく美味いフランス料理を食べたよ」

と話すだけだった。それでも洋子は一人娘の十二歳になる美里と地図や案内書をたずねるのが好きであった。今度の初旅も彼が仕事をしている間、退屈はしないだろう。

午前十時、二人の飛行機は予定より一時間遅れてドゴール空港に着いた。支社の青年が待っていて、

「奥さまが御一緒で、珍しいですね」

そう言った。今度は会議が三日続いて、そのあと四日ほどあいて、終りに閉会のセレモニーがあるので、博行は途中暇になる。洋子を連れてくる気になったのだった。

車が空港からパリ市内へ入ってゆくと、街の古い建物が放射状になって角にカフェのある町並を見ると、パリへ来た、と洋子は思った。人に言うことではないが、パリという大都会がなぜ人を惹きつけたり、惑わせたりするのか、見てみたいと思った。ホテルはコンコルド広場に近いチュイルリー公園の前にあった。博行はすぐ出かけるので、彼女のためにガイドを頼んでおいたが、

「今日はどうする」と聞いた。

彼女は以前絵をみてもらったある画家をたずねて、仲間たちにことづかった物を手渡したいと思っていた。それを済まさないうちは肩の荷が下りなかった。博行は妻のことは心配しない。洋子は行きたいところへゆく意志をもっている。約束しておいたガイドは三十歳くらいのジャンパーを着た男で、杉田といった。博行は支社の青年と出てゆくとき、

「買物をしてもいいよ」

と、いつになく言った。

パリの街は薄曇りであった。杉田がパリは初めてかと聞いた。

「ええ。自分がどこにいるか分りませんの」

「特に御覧になりたいところがありますか」

彼女は訪ねたい人の住所を書いた紙を手渡して、連れていってほしいと言ったが、そのためにパリへ来た、とさえ言える気持は悟られたくなかった。十月末のパリは寒かろうと思ったが、スーツを着たままで丁度よい。向いのチュイルリー公園の大きな木々は黄ばみ、地面を落葉で埋めて美しい。頼んであった車に乗って走り出すと、紅葉も走る。

「もう大分葉が落ちましたわね」

「今年の秋は雨が多かったのですが、やっと上りました。観光シーズンが終って、寒さがくる前の、静かな、良い時でした」

車はルーブル美術館の前を走りぬけ、場末へと向ってゆく。メニールモンタンが下町ということは知っているが、桂規夫が住んでいるかどうか分らない。それは七年前の住所であった。杉田は周囲の眺めにガイドらしい説明を加えながら、珍しい処へゆく客もあるものだ、という顔をした。

パリの裏側の顔とも言える地域の、ごみごみした町の坂を上ってゆくと、古びて廃墟になりかけた建物の壁が現れた。車は停った。子供が数人舗道に群れて遊んでいる。坂の角から下界が見えて、杉田は声を放った。

「あ、また変った。古い建物が毀れて、新しいビルディングが建つから、半年も来ないと違った町になる」

坂の上は切り立っていて、細い石段が下界へ向けて下ってゆく。人は見えない。

「パン屋が無くなった」とあたりを見廻した彼は、道をへだてた新しい建物にパン屋を見つけて、「あった」と言った。

たずねる建物が残っているかどうか。二百年も前の傾きかけた石の建物が道の先にあって、小さな窓と、屋根の上に煙突口を幾本もつけている。入口の奥は薄暗くて、饐えた匂いが煮しめたように立ってくる。杉田は靴直しの店で聞いてきて、ようやく尋ねる住所がそこと分った。暗く狭い階段の摩滅した石の上を杉田から先に上ってゆく。身体がひんやりと石の湿りにひたされる。陽の差さない重さである。このあたりから洋子は悔いはじめた。パリへ行くなら彼に会おう、と決めたが、メニールモンタンへ来てみただけでよかったのだ。

「どういう人が住んでいるのです」と杉田はたずねた。

「日本の画家ですの」

彼は頷いて三階までのぼってゆき、手にした紙とドアの番号を合せてゆく。洋子ははっとした。黒い鼠が廊下を走るのを見た。ある日この朽ちた建物が崩れてゆく幻想を抱かずにいられない。ドアに小さくN・Kと記した扉にゆきついた。彼はまだここにいる。突然に来て、相手が覚えていてくれるかどうか分らなかった。十七年間、一方的に記憶の糸に想像の糸をかけて編んできたゆめが、おそろしく思われた。

「ここですが」と案内者は言い、彼女の代りにノックした。ふいに洋子は後しざりし、自分が十七年前と違っているように、相手も変っていることをおそれた。ドアの内からの応えはない。間をおいてノックしたが、無駄であった。留守、と知ると、落胆と安堵が同時にきた。不意に来たのだから仕方がなかった。届け物を置いてゆこうか、と迷った。

「いや、鼠や、人間共の餌食になりますよ。メモを挟んだらどうです」

洋子は桂規夫の所在を確めたからこれで良い、長い念願を果せたと思い、メモに何を書こうかと考えた。彼女は紙にN高校の油絵グループにいた立野洋子（旧性添島）と書き、パリへ来たのでお寄りした、と記すうち、明日の午後また来ます、と書いていた。それからホテルの名を書き添えた。

メモを挟むと、彼女は杉田のあとから急いで階段を降りはじめた。どこかのドアが細くあいて、人が覗いたような気がした。湿った手が背後から伸びてきて、肩をつかまれる不安をおぼえた。自分の靴音に怯えながら三階から降りて外へ出ると、ほっとした。パン屋の近くに待たせておいた車に乗って引返しながら、自分は明日また来る気だろうか、と疑った。車は坂を下り、古びた町から離れていった。杉田は興味を隠さなかった。

「画家はパリに長い人でしょうね」

「十年あまりいらっしゃるのですけど、パリに日本人の画家は多いのでしょう」

「一説に、千人と言います。名を成して画商のついた画家から、ついにパレットを捨てる画家まで。パリにきた画家は、パリの壁の中で自己と闘っているわけです」

そういう杉田はなにを目的にフランスへ来た男か洋子には分らなかったが、芸術の分野に関わる人間かもしれない。

まだ洋子が東京に近い浦和に住んでいた高校生の頃、クラブ活動が盛んで、その一つに油絵があった。若い教師が良い絵を描くので油絵グループは二十人もメンバーが集った。桂規夫は教師の秘蔵っ子であった。洋子たちより一年上級で、彼は難関の芸術大学受験をすべって浪人すると、クラブへ教師の手伝いにきた。二十人の仲間の十一人は女子学生であり、洋子は目立たない一人に過ぎなかった。油絵はデッサンのあとに始めたが、桂規夫はある時偶然そばにいた女子学生の顔をパステルで一気に描いてみせた。高校生には及びもつかない精彩に富んだ絵で、それは洋子の顔であった。桂は時々クラブ室へ入ってきて、「そこにいる人」と呼んで、スケッチから始めることがある。彼の手にかかると、現実の控え目な洋子に血と情熱が加わって、情感のある若い女性に変貌する。彼女自身まばゆいほどであった。周りの男子学生は一枚の絵に感嘆し、女子学生は羨望した。いつとなく彼女たちはクラブ室へ早く来るようになって、桂を熱い目で見た。ある時、洋子と、もう一人小泉さわ子が来ている時、桂は入ってきて二人を見比べながら、誰か身体を描かせてくれる人はいないかなあ、と呟いた。

小泉さわ子は美しい学生であった。

「だって桂さん、身体って着衣なの」

と小泉さわ子は聞いた。

「描いてみなくちゃ。着衣よりむろん裸婦がいいけど」

彼は二人のうら若い女子高生の制服の内の肉体を見ていた。

「裸婦ですって！」

小泉さわ子は身を縮めて乙女らしい媚を含んで彼を仰ぎ、洋子も顔を赤くしたが、若い彼の目は光っていた。洋子は桂が描いて持ち去った一枚のパステル画が欲しかったし、肉体を描くならそれにも応じたかった。その熱情と同じくらい、それを拒む羞恥もあった。その日から彼女は男にじかに頼まれたように悩み、浴槽で裸体になると自分の胸をかき抱きながら、思い迷った。そうして美しく魅力的な小泉さわ子が抜けがけでモデルになったのではないかと苦しんだ。その時から洋子は一日として桂規夫を忘れることはなかった。

彼は一年後に念願の芸術大学の美術学部に入学し、それ以後油絵グループへ手伝いにくることはなくなったが、彼の入学祝と洋子たち高校生の卒業祝と合せて集ったことがある。場所は浦和の鰻で名の通った料理屋であった。桂規夫はすでに眩しいような存在であった。選ばれて絵画に進む才能は輝かしかったし、彼の自信に満ちた若さは容姿にもあふれて青年らしかった。彼は鰻が好物だといって、よく食べた。その席で桂は将来の抱負を述べたが、洋子は聞き洩すまいとした。

「ぼくは将来、細密な手法に挑んで、新しい絵画世界をひらきたいのです。ある異様な、美と妖の、切迫感のある絵を画面に構築します。この追求がぼくの美に叶うのです」

彼の気負いは新しい学生生活に賭ける熱意にあふれていたから、教師も拍手を惜しまなかった。仲間の一人が立って、将来も桂規夫を支援するだろう、と約束した。それはみんなの偽らぬ気持であった。

「じゃあ、ぼくがパリへ行く時はカンパしてくれるかい」

「むろんだ、むろん」

グループのすべてが彼の前途に手を打った。小泉さわ子は女子大へ進むのだったが、洋子は弟妹の多い家庭の、役所勤めの父を思って、高校を出ると就職することにしたから、この日を境に桂規夫とも、小泉さわ子とも別の世界の人間になるだろうと思った。桂は教師と出てゆく時、一人一人に握手をして別れた。洋子はその時になって、彼の差し出す手のぬくもりに向けてふいに言った。

「パリ、いつか私も行きます」

みんなはどっと笑った。うまい冗談が出たのをよろこんだのであった。桂は目を細めて煙草のけむりを目に入れたような、煙った表情をうかべていた。

あれから十七年が流れた。

桂は大学の絵画科を出て、その後パリへ行ったことは人伝てに聞いた。彼の父は大会社に勤めていたから、親の援助によったのかもしれない。

「桂規夫氏でしたね。聞かないな」

杉田は帰りの車で丘の上のサクレクール寺院へゆき、彼女が絵に関心があると知ると、近くのユトリロの住んだ家を見せながら、桂という画家を思いめぐらしていた。

千人もいては訊ねるのも無理だろう、と洋子は答えた。

「明日もメニールモンタンへ行かれますか」

「明日になってみませんと」

洋子も下町の特に暗い雰囲気を思いうかべると、到底たのしい訪問にはなるまいと感じたが、言葉には出せなかった。一方で、パリに散在する夥しい画家が持つそれぞれの密室には、現実を越えて凝集した絵画の世界があって、華麗な、幻想的な、きびしい、怪奇な、心をまどわすなにかに出会うかもしれないと思った。

その夜、会合を終えて戻ってきた博行に、サクレクールやノートルダム寺院を見て、カフェでクロックムッシュを食べた話をした。それから訪れた画家の不在を告げた。彼は妻の話など半分しか聞いていない。

「パリにきた日本人の画家の中には、週の半分を働いて、あとの半分で絵を描いている者が多いらしいな」

「仕事があるのでしょうか」

「日本人のためのガイドとか。洋子に付いたガイドはなにをしているのか」

博行は話を打切ると、自分の仕事の準備を始めて、疲れたのか間もなくベッドに入った。

「パリの感想はどうだ」

「パリ、パリといっても、観光の町で、風景や建物が垢ぬけて、伝統があるだけですわ。よそよそしいわ。でもメニールモンタンには生活が漂っていて、子供たちがさわいでいて、太ったおかみさんが買物籠を下げて歩いていて、夕暮にはきっとフライパンの焦げる匂いがするでしょう」

「ああ」と答えたかと思うと、博行はもう軽いいびきを立てていた。

次の日は昼前に印象派美術館へ絵を観に行った。杉田は丁寧に説明してくれる。ゴッホやゴーギャンやボナールの展覧室を見てまわりながら、洋子は幾度となく人を訪れる時間を気にした。

「こんなにたくさん絵があっては、一枚の絵と語りあってはいられませんね」

「好きな絵だけ見ていって下さい。どれが良いですか」

「私は素人ですから、ゴッホの歪んだ教会と、自画像がいいですわ。画家の贅肉を殺ぎ落した鋭い顔に惹かれます」

彼女はうら若い日から十七年間も、いつも心の片隅に棲み続けた男が、いま飢えているか、華やいだ精神で生きているか、見なければならないと思った。

美術館を出て、チュイルリー公園の菩提樹やマロニエの下を歩くと、人の歩く道を白く残して落葉が地を埋めている。黄色と、茶褐色の大きな落葉は靴の下でかさかさ鳴った。犬を連れた老人がすれ違う。

午後、車に乗って再びメニールモンタンへ行った。彼が待っていてくれるかどうか分らない。杉田も訪ねる画家に興味を抱いて、二度目の荒涼とした石のアパートの擦り減った階段を、先に立って三階まで上っていった。

なぜ私はパリへ来られたのだろう、と洋子は石段を踏みしめながら思った。高校を出て勤めて、上司の紹介で見合をして結婚した時、夫の博行は電機会社のありふれたエンジニヤに過ぎなかった。平凡な男で、無趣味で、彼女が絵が好きといってもなんの感応も示さなかった。仕事だけは熱心で、早朝から夜まで会社の仕事場に入っている。美里が、お父さんのどこが良いのか、と彼女に聞いたことがある。親子の団欒もなかったのだ。博行の加わったプロジェクトの新製品が会社の誇るものになって、彼を昇進させ、一層多忙にした。いつか一度はパリへ行きたい、とひそかに願ったゆめが思いがけず叶った。彼女は夫の出世を信じたこともなく、平凡な、つましい一生しか考えなかったのだ。

三階の古びたドアをノックする。今日は廊下の隅に猫がうずくまっている。間をおいてまたノックする。奥に足音がして扉が開いた時、洋子は不自然な訪問を恥じた。

現れたのは、痩せて頬のこけた、ばさばさの髪の男であった。皮膚が乾涸びて、老けているのか、若いのか、分らなかった。洋子は目をあてた。男も彼女に目を向けている。やはり歳月を越えて桂規夫に間違いない。洋子が突然の訪問をわびると、男は一歩、二歩、ぎこちなく身を引いて、やや虚ろな目で、お入りなさい、と言った。部屋は十二畳ほどの一間で、入ったところに台所があり、奥の隅にベッドがある。あとは壁と小さな窓のある空間に、絵があり、キャンバスが立てかけてあり、卓と椅子があって、床の上には物が散らかっている。彼は二人の客を小さな椅子に掛けさせると、身を引いて、どこか怯えたように隅に掛けた。意気盛んであった若い男の面影はない。

「私を覚えておいでてでしょうか」

高校時代の油絵グループの頃の名を告げると、彼は落着かなく中年の洋子に目をあてた。二つの暗い眼窩は不吉なものを感じさせ、彼女は身体の奥に戦慄をおぼえた。

「覚えていませんね」

彼の声は遠くからの声に聴えた。洋子は仲間の二、三の友達の名を挙げた。

「七年前に日本の京橋の画廊で個展をなさいましたね。その折、桂さんともお目にかかった人達ですが」

「失礼しました」

と彼は言い、しかし思い出したのかどうか、まともな答えになっていない。病んだ人のように、はきはきしなかった。洋子の胸はさわぎながら辛く、苦しくなった。昔の敏感な彼とは違う人間に思える。あの個展の頃、桂規夫は元気なはずであった。

「私は友達に教えられて画廊へ行きましたが、個展は終ったあとでしたの。残ったパンフレットをもらって帰りましたが、そこにパリの住所が書いてありました」

彼は離れたまま聞いていたが、杉田が壁の二十号の絵に寄っていって眺めるのを見て、その絵をどう思うか、と訊ねた。杉田はいつ頃の絵か、と問い返した。

「一九七八年の絵です。描き加えるものはないかと、今日まで見続けているんです」

彼は訪れた客がなぜ来たかも聞かずに、杉田に向けて二十号の絵の世界を指差した。それは静物画で、鳥籠と、白い花と、皿に鰻がのせてあった。細密画に近い、点描を重ね合わせた絵は、息が詰って、呼吸をしていない、と洋子は感じた。杉田は何も答えなかった。一方の窓のそばに六号の「花と窓」があって、黄色い花のうしろの窓辺に黒い猫がいた。床にも立てかけた絵があって、窓の外に傾いた屋根があり、室内は暗く、人形や、玩具の動物や、歪んだ硝子の花瓶がおかれている。洋子が振向くと、彼はやはり部屋の隅にじっとしていた。洋子を思い出せないに違いない。彼女は手提から届け物を取り出した。東京から運んできたのは硯箱一揃いと、彼の好物の鰻の佃煮であった。

「硯箱は高校時代の油絵グループの有志からですわ。白井先生は郷里の岡山です。覚えていらっしゃいますか、小泉さわ子さんも関西です」

彼は硯箱を受けとると、包みをあけて黒漆塗の箱を細った手で撫でながら、

「いいです。これは良い」と言った。

洋子の心に失望が走った。彼の部屋は澱んだ空気のまま、キャンバスの絵具も乾いていた。彼はお茶も用意しなかった。昼の食事を誘うと、承知した。

「近くにうまい店がある。案内しましょう」

洋子は彼が支度をして短い外套を着る間、六号の「花と窓」を見ていた。彼は部屋を出ると、今までの陰欝さが少し薄れていた。三階から降りて外光の中に立つと、彼は起き立ての人間か、薬物で神経のにぶった者のように、目をしかめた。彼らは待たせた車で坂を下りてゆき、小さな広場の前のレストランへきた。杉田は二時間ほどあとに迎えにくる、と言って車で去っていった。小造りなレストランの奥のテーブルに着くと、彼は洋子の注文を聞きながら料理を選んだ。

「ここは、どの辺りですか」

「サン・マルタン運河の近くです。あとで歩きますか。紅葉が良いかもしれない」

「ええ、ぜひ。運河をお描きになりまして」

「前の個展で建物を描いたが、描いても描いても壁がかぶさってきて、これで良いという前に、こちらが倒れました」

彼は少しずつ言葉が出てきていた。

「人物はどうでしたか」

「十歳くらいの少女を描いた。回廊にいる少女と、円柱と。これは友人のオフィスに掛けてある」

「また東京で個展をなさいますか」

「作品を描き溜めないと。あと二年はかかるでしょう」

料理の前菜はメロンと生ハムであった。彼はすぐ食べはじめると、目の前の女を忘れたように、黄色いメロンを掬っては口へ運んだ。生ハムを平らげると、赤葡萄酒を飲み干し、その顔にようやく生気が流れた。

「パリは初めてですか。御主人とですか」

「主人のお伴ですが、主人は明日まで会議がありますの。私は一ぺんだけ、パリというところへ来たかったものですから」

「良い御身分です」

彼は洋子の取りたてててセンスが良いとも、上等とも言えない服装に目をやっていた。彼女は家庭の女の着る着心地の良い服でありさえすればよかった。

次にビフテキの皿が彼の前に運ばれてくると、彼は細い首を伸して皿に顔を近づけていった。十七年間彼女の胸にあった記憶と、ひそかに自由に羽搏かせたゆめは、現実とは遊離したものであった。男は焼いた肉を片付けてゆき、他のなにも目に入っていない。ようやく肉皿が引かれると、チーズに、珈琲を飲み、昼の食事は終った。彼のこけた頬にやわらかさと優しさがのぼってきた。洋子にはそう見えたが、にわかに話が弾むわけではない。

レストランの外へ出て少し歩くと、運河へ出た。サン・マルタン運河の両側は並木道で、水路が伸びて、アカシヤや、篠懸や、マロニエが黄の濃淡に染めわけられて、落葉してくる。昨日より風が冷たい。運河にかかる幾筋もの鉄の太鼓橋を、桂規夫と並んで歩くなどと想像したろうか。

「良い日だなあ。薄陽のぬくもりがあって、黄色い葉が降ってくる」

太陽の明るさに初めて気付いたように、彼は血の気のない顔を仰いだ。洋子の胸奥に悲哀がこみあげてきたのは一瞬のことである。川に沿って歩くと、旅行者らしい男がすれちがってゆく。お幸せですか、と彼女は聞こうとした。十年も待望のパリにいて、絵を描いて、いつかは個展を志している。お幸せでしょうか、と口にして言うのが皮肉だとすれば、彼女の抱くゆめも一緒に消えてゆくことである。他者に仮托したゆめの脆さを思った。唇からは別の言葉が出ていた。自分でもなにを言っているのか分らぬまま、自然に口をついて出た言葉であった。

「桂さんの六号の『花と窓』の絵を譲って下さいませんか」

彼はのろのろと歩く足をとめて、運河の豊かな水際に、痩せて尖った肩を張って立止った。

「ここらは良い。まだパリの昔の面影がある。向う側に見える白い、小さな建物が北ホテルです。昔の画家はパリ祭にこの川っぷちを歩きながら、花火を見たり、川に足をひたしたりしたそうです」

彼はしばらく黙っていて、言った。

「『花と窓』は、気に入りましたか」

「黄色い花も、猫も、こちらを見ていますでしょう。ずっと絵と話してゆけると思いますから」

「絵は、あとで届けましょう。東京へはいつお帰りです」

「スイスへ行くかもしれませんので、絵は明日いただけませんか」

彼女は六号の値を問い、彼は答えた。それは彼女の思ったより安かったが、旅先の小遣はすべて消えるだろうと思った。

「メニールモンタンをお描きになって下さい。長くお住いなのでしょう」

「あの辺りも日に日に変るが、ぼくは何処へも出ない。最後の住人です」

声に自嘲の響きがこもっていた。洋子は木々の黄と茶色に染まりながら、この時間を忘れないだろうと思った。うしろに呼ぶ声がして、杉田が寄ってきた。彼らは別れるために会釈した。

「では明日、十一時にホテルへ届けましょう」

「お待ちしています」

洋子は迎えの車のほうへ歩いてゆきながら、時間がゆっくり過ぎたような、瞬く間であったような、ふしぎな一ときを心に残していた。

その晩、博行が帰ってくると、洋子は疲れた顔を隠せなかった。

「パリは見るところが多いだろう」

と博行は話しかけた。彼女はメニールモンタンの陰々とした画室に当てられたことを言い、昔の仲間のホープが描いた絵をもらうことにしました、と告げた。

「高い買物ですみません。初めての贅沢な買物になりそう」

「時計でも買うかと思ったら、絵か」

「異国の暮しが絵の中から立ってくるような、さびれた心象風景なの。あの絵を外したあとの壁はどうなるのでしょう」

「別の絵を掛けるさ。いま枯渇しているとしても、ある時蘇るかもしれないよ。それが芸術家だ」

博行はそばを離れていった。美術館で見たゴッホの痩せた、やがて狂ってゆく自画像が、洋子の瞼に焼きついていた。

次の日はガイドの杉田を断って、ホテルの近くから、凱旋門あたりまで歩いてみよう、と彼女は決めた。どこを見物する気もない。ただ街や公園や広場を歩いて、長年心にためていたパリを胸に残しておけばよかった。昨日の午後杉田が運河へ迎えにきて、帰りにリュクサンブール公園へまわった時、言った言葉を思い出した。

「桂規夫氏のアトリエは凍って、死んでいましたね。そう感じませんでしたか。無気味でした」

「画家は半分死んでいましたわね。孤独が画家を蝕むのか、仕事の行き詰りなのか。強くなければ生きられない都会なのに、なぜ人は離れないのでしょう」

「分りませんね。都会はそういう冷酷な場所で、希望と絶望と、伝統と破壊と、憑きものと祈りと、相反するもので狂わすんです」

「都会の魔に魅入られるなんて、恐ろしい。私は二度と来ないでしょう」

「そういう限り、奥さんはまた来たいと思いますよ。来るにしろ、来ないにしろ、パリが心に棲みついたからです」

杉田は彼自身の苦悩を語るように、洋子の心を見抜いていた。

三日目の朝、夫を送り出したあと、スイスへ廻る支度をしていると、すぐ十一時になった。ロビーへ下りてゆき、隅のソファに掛けていると、玄関から桂規夫が入ってきた。昨日よりも人間らしい顔にみえて、洋子はほっとした。彼はキャンバスの絵に木枠をつけて、ハトロン紙に包んで抱えてきた。六号の絵は大きいというほどではないが、ちょっとした嵩になった。旅行鞄の中へ入れなければならない。

「大切に日本へ持ってゆきますわ」

「絵が一枚日本へ行く。それを繰返し自分に納得させました。おかしいですか」

「いいえ、当然ですわ」

彼は別のことを言った。

「土産のうなぎ、うまかったです」

洋子は封筒に入れたドル紙幣を手渡した。彼はすぐ上着のポケットへ納めると、受取りをおいて、立上った。

「新しい絵をお描きになれそうですか」

彼女は画家の表情が蘇るのを期待したが、彼の目は動かなかった。

「仕事ですか、ええ」

彼は曖昧な答えをした。重いものがいつも彼の頭上に覆いかぶさっているのかもしれない。彼女はロビーで別れた。画家の痩せた背中が消えてゆくまで見送った。人と人の別れはこんなものか、とあっさり去っていった男を見たあと、絵を抱えて部屋へ戻った。

部屋の鏡の前に絵を置くと、彼女はマフラーを取って再び部屋を出ていった。お茶に誘いもせずに帰した画家がまだそのあたりにいるような気がしたのである。ホテルの外へ出て、コンコルド広場のメトロの入口まで行ってみたが、痩せた日本人の画家を見ることは出来なかった。もう二度と彼を見ることはないだろう。

気がつくと外の風はかなり冷たかった。昨日から今日へと晩秋の一日は深まっている。広場から凱旋門へ向うシャンゼリゼー通りの並木の下を歩くと、木々の黄葉は衰えている。葉が地面へ舞いおちる。彼女は歩きながら、ポケットにねじこんだままの紙を取り出した。画家のよこした受取りである。硯箱をあけてみたのか、墨のにじんだ筆の字で、金額が記してあり、彼のサインが入っている。宛名のところに短い文字が書いてあった。

「友へ。描かなかった裸婦」

洋子は昔の記憶をよび戻しながら、裸婦の二字が墨で黒くにじんでいるのを見た。画家はどの瞬間に過去の断片を思い出したのだろう。彼女は現実を一とき遠くへ押しやりながら、蕭条とした晩秋の中にいた。

冬の梅

小さな家の近くにまだ武蔵野の面影の残る疎林と、細い川の流れる土手の小径があって、冬の季節は黒土に霜が白く立った。中央線の奥のK駅からバスで十五分ほどゆられて、ようやく辿りついた処に建売住宅が六戸建って、五年前その一つに移ってきた時、直子は、

「島流しだわ」と思った。

それまで暮したのは本郷千駄木町で、戦災にも焼け残った旧い街が直子は好きだったが、夫の逸男は自分で探してきた家をその場で決めてきた。

「自然の眺めの良いところだろう。何よりも空気がきれいで、土が真黒だ。ここなら良も丈夫になるさ」

得意気に言った。子供はそのとき五歳で小児喘息が直ったあとだが、ひ弱かった。逸男はそれまで勤めていた広告会社の写真部を罷めてフリーになったので、退職金を頭金にあてた。郊外のバス停留所の前に数軒の店があるきりのさみしい町である。あたりに農家も点在していたが、バスが割合よく来るのは近くに大きな植物園があるからで、季節が来ると花見の客で賑わった。逸男は植物園へ取材に来たことがあって、この環境が気に入っていた。

「少しさみしすぎるわ」

「君は東京の真中しか知らないからさ。都会のアパートで良を相手に暮しても、子供の健康につながらないよ」

夫はそういったが、直子は本郷にいて、少しの時間に展覧会へ行ったり、友達と会ったりするのがよかった。仕事の忙しい彼は遠いことを理由に、市ヶ谷の仕事場に泊ることが多くなるだろう。しかし、言ってみてもはじまらない。夫にとっては良あっての妻なのだ、と彼女は思った。

引越してきて挨拶を交すようになった隣家の主婦が、新居を得たことをよろこびながら、

「お宅は弟さんが確りしてらして、いいですわねえ」

と言った時、直子は挨拶に困った。逸男は彼女より十歳年下であった。彼は案の定仕事場に泊って、週末しか帰らない。彼が帰ってきて、次の朝男の洗濯物を干すと、直子はようやく家庭の確かさを感じた。その後、隣りの主婦の由紀子が、

「御主人のこと、失礼しました」

と言うと、直子は俯いて含みわらいした。すると由紀子も明るく、

「素適な方ですよねえ」

そう褒めて、同じ年配の二人は目を見合ったとたん、了解しあったのだった。

武蔵野の一劃に住みついてから直子のたのしみは、折々植物園を見ることで、桜の盛り、薔薇園の華麗な花々、池のあやめの色彩りもよかったが、取りわけ梅林に惹かれた。初めのうち逸男もカメラを手にしてきたが、例年となるともう関心を示さない。

「あなたは人物専門だから」

と直子は冷やかした。彼女の口調に皮肉の響きはない。ずっと前から、いや結婚する前から、彼の奔放な、熱し易く冷め易い気質を知っていた。まだ同じアパートに住んでいたころ、直子は母と二人暮しだったが、親しくなると若い彼は夜食をたべに来たり、サラリーの前借に来たりした。直子の母はどこが好いのかいそいそと食事の支度をしてやり、恩給の大半を貸してやったりした。若い男が都会の孤独に陥るあぶなさを支えてやっている気かもしれなかった。

母を持つ娘の成りゆきから彼女は勤めが長引いて、結婚の時期を逸してしまい、母を亡くした時は三十代の半ばになっていた。若い男はそのとき二十五歳であった。二人の間は、あれはなんであったのか。母の死を悼みあったことから母の代りに逸男をくるんだ愛情が、男と女の性になり変ったのか、気がついてみると直子は身籠っていた。彼は仕事柄女性とのつきあいも多い。好きな娘がいればいつでも身を退こうと決めたが、子供だけは自分の手で育てたかった。彼女の母も若い夫を戦争で失って、女手一つで直子を育てたのだった。

若かった逸男はその後も独身づらで好きなことをしながら、切れもせず、直子と良を郊外へ住まわせた。半ば捨てたということだろう。日曜日も取材の仕事が入って帰らないと、幼なかったころの良は、パパが来ない、と泣きべそをかいたが、五年した今は直子より頼もしくなった。夏休みにプールで泳ぎはじめてから身体も丈夫になって、今も続けている。

「奥さま、私たちもプールで泳いでみない」

と由紀子が誘った。バスの発着駅の近くにスポーツクラブが出来て温水プールがあるという。由紀子の夫は公務員で、一人息子は地方の大学へ入った。

「私たちが水着を着て、プールで泳ぐの」

直子は苦笑したが、肉体の自由には魅力があった。彼女は逸男に愛されている時も、ふと疑わしい気持になることがある。本当は互いに別の相手があって、彼は若い女性を愛し、自分も年相応の男の落着いた愛に情念を燃やすのが幸せではなかったのか。逸男を待つ時のどこかしら若い男のあぶなさに、気の休まることはなかった。十歳の年の差は、女にとって重いうしろめたさであった。彼が男盛りの三十五歳なら、彼女はすでに女の峠を越えはじめていた。髪に白い筋を見ると、彼女は引き抜いた。あふれる黒髪に白い線が悪意のように覗くのを、おそれなければならない。

家族にとってたのしい正月が来て、過ぎていったが、彼は団欒の暇もなく、月の終りは仕事で沖縄へ行くという。

「沖縄のどこへ行くの」

と良が聞いた。

「石垣島から竹富島へ行くんだ。古い島の屋根瓦や、青い海を背景に、宣伝写真を撮るのさ」

「また女か」

少年特有の甲高い声が響くと直子はぎょっとし、一瞬おくれて逸男が、なんだ、それは、といった。

「パパは女性派なんだろう。女を撮るとうまいんだね」

「誰が言った」

「正男さんが言った」

と彼は年上の従兄の名をあげた。逸男は白けた顔で良を見たが、そうさ、とうそぶいた。彼の撮った化粧品会社のカレンダーの女たちを見ると、その時々の逸男の貪婪な目を直子は感じる。女のアングルに彼の感性が閃いていた。

「これ、良いポートレートね」

直子は何気なくボーイッシュな若い女の匂ってくる体臭の濃さをみつめた。肉体が弾んでいるのだ。逸男はなにも答えなかった。女性派か、それはそうに違いない、と彼女も思う。子供が父親になにか言っても、彼女は埒外にいて、加わらない。一人っ子に対して淫したところのないように、その心得は逸男にも通じるものだった。夫に年甲斐もなく甘えては、醜くなりそうで怖かった。

「年の始めだから、良ちゃん、写真を撮ってあげるわ」

直子が庭へ出た良に安物のカメラを向けてシャッターを押す間、逸男はうしろへきて見ていた。

「パパって商売だから、うちの者は撮らないんだね」

「そうさ、お前を撮っても一文にもならないよ」

「子供の赤ん坊の時からのアルバムを作っている親が、友達の中にいるよ」

「ひまじんだな」

逸男はベランダから離れていった。良は父親に似た眉をあげて直子を見た。

「パパって冷いね。ママはなぜ結婚したの。年が違うのにさ」

「パパが良かったからよ。お生憎さま」

直子は台所へ引上げた。父と子が睦みあうには年齢が近すぎて、逸男は照れるのだろうか。良も父親に物をねだることは少なかった。逸男は金銭にルーズで、ある時は気前がよく、次の時は出し渋るからであった。

一月も末になって逸男は沖縄へ発っていった。直子も良も彼の仕事の収穫を疑わないが、土産は信じていなかった。直子にもたらされるのは、旅のおまけの洗濯物くらいだろう。

冬には暖い日の午下り、直子は座敷の陽だまりで編物をしていた。近年手編みの複雑な模様のセーターが流行していて、彼女はアルバイトに編むようになった。グラフの編み目通りにすると、ユニークな動物の顔が現れてくる。武蔵野の奥に逼塞していながら、奇抜なデザインのセーターを手がけて新しい女の胸許を飾るとおもうと愉しかった。アルバイトは良の水泳教室の月謝にまわすのだった。

玄関のベルが鳴った。郊外の新開地まで足を運ぶ訪問者は少い。直子が何気なく出てゆくと、ドアの前に若い女が立っている。二十五、六歳の背の高い、スタイルの良い女性で、派手な紫色のオーバーに、化粧の顔が際立っている。直子は一瞥するなり、予期した女が来た、と感じた。どこかで見た顔である。前から想像していたせいか、夢で見たことが現実になったせいか、分らないが、来るべきひとが来たのであった。若い女もまた、化粧っ気のない、黒いセーターを着た直子に目を当てていた。

「木原逸男さんのお宅でしょう」

と相手はいきなり声をかけた。

「そうですが、あなたは?」

「斎田美澄です。逸男さんから私のこと聞いているでしょう」

「どちらのお知合でしょうか」

「私を写したポスターを見ていないの」

直子は気付いていたが、そしらぬ顔で、いま旅行で留守ですと告げた。

「旅行は聞いていたけど、一ぺん尋ねてみたかったから」

美澄と名乗る若い女は彼の留守に落胆したように見える。立話も出来ないとさとると、直子は客を通した。奥は食堂と座敷とがあって、ささやかな家だが、座敷の床の間に正月の名残りの千両が活けてある。個性の強い逸男の家とは見えない閑静さのせいか、女客は疑わしげに見廻している。直子は相手がここまで来たことに胸騒ぎを覚えた。

「こんな遠い処がよく分りましたね」

「植物園のそば、と聞いていたし」

お茶を淹れて、少し離れて坐った直子を見て、美澄はずばりと聞いたのだった。

「あなたは、彼のなんなの」

さすがに直子は若い女の非礼に眉を寄せた。

「家内ですけど」

「じゃあ、男の子は」

「主人の一人息子ですわ」

若い女の眼が大きくみひらかれて、直子の年齢を露骨に計りはじめた。若くも、老けたようにも見えて、彼女の年齢は定かでないのだ。若い女は苛立って一気に喋った。

「彼は私と結婚の約束をしたのよ。以前に、母と、弟がいる、とも話したわ」

母と、弟、という時、挑発的に響いた。なにを言われても聞き捨てよう、と覚悟していたが、やはり言葉の棘に衝撃を受けた。言葉にはけじめがある。逸男は冗談に彼女を、「おばさん」と呼んだことがある。その時直子は初めて強い目になったのだ。

「私は、おばさんの役は、まだしていませんん」

逸男は鼻白み、厭味な冗談は言わなくなった。おばさんを越えて、母と呼ばれ、弟と呼ばれるほど男の重荷になっている、と知るのはただごとではない。彼女は顔から血が引いてゆきながら、女の前で平静になろうとした。

「うちには十歳の男の子がいますが、そろそろ学校から帰ってきますわ」

「そう。会ってみようかしら」

刃を交すように美澄はいった。彼女は逸男とは一年前から関りを持った。若い女との交際の多い男は、仕事もよくするが、遊びもする。初めは本気とも言えなかったが、一年続いたことに自負を持った。結婚したい、と言い、彼は結婚か、考えとく、と言い、そのあいまいさを埋めては求めあった。彼女は業界の宣伝ポスターで、彼の感性が引出してくれた貌が好きだった。最高にかがやきをおびたプロフィルは、自分を越えていると感じた。

今こうして見ても、活力のある彼と、年上の目立たない妻とは似合わない。不釣合だ。気鋭の写真家の陰の部分としても暗すぎる。若気のあやまちを引きずってきたのなら、自由になってもいい。美澄は小さな庭の水仙に目をやりながら、男は一体なにを考えているのだろうと思った。

「彼も良い加減なひとね。結婚するのに、おふくろと弟がいる、と言ったり。あなたは彼より幾つ年上なの」

興味というよりは侮蔑がこめられている。若さの不遜さに、直子は張りつめた感情がかえって冴えてゆくのをおぼえた。

「私のこと、気になるなら、逸男にお聞きになればいいでしょう」

「むろんそうするわ」

「彼は一週間もすれば、沖縄から帰ってくるでしょう。若い女優さんを撮るそうです」

美澄は男の消息を知ると、初めの戦闘的な口調から皮肉に変った。

「ここへ帰ってこなかったら、どうするの。彼は空港からよく電話をよこすわ」

そういうこともある、と思いながら、直子は相手のうちになにかしら虚勢を見るのだった。

「自分の家ですから、やっぱり帰ってくるでしょう。子供も待っていますし」

「子供の乳母みたい」

女の口から出た言葉は、直子の胸を刺した。彼女は薄笑いしながら、十年も続いた家庭は容易に壊れないし、壊す時は家の梁にでもぶら下りましょうか、と呟いた。美澄はひるみながら、女もこうまでしぶとくなるのかと目を瞠った。実のところ、ここまで来たのは、あてどない、移り気な男への執着とあがきからであった。

玄関に声がして、良が帰ってきた。ああ困った、と直子はうろたえた。若い、毒々しい女客がいて、その口からなにが飛び出すかと思うと、不安になった。良は十歳にしては幼なさの残る少年である。彼は部屋へ入ってきて初対面の客を見ると、ちょっとためらったが、会釈した。

「こんにちは」という仕草が素直である。ふたりの女は少年に目をそそいでいる。直子の胸にどんな感情がこみあげてきたとしても、子供を醜い女の争いに巻きこみたくはない。良は子供であると同時に、この家の良人に代る大事な主人でもあった。美澄は逸男の子を興味ありげに見ている。

「学校は遠いの」

「歩いて、十五分くらい」

少年は答えた。

「ここ、さびしくない。狐が出そうだもの」

「さびしくなんかないよ」

ふしぎそうに彼は返事をして、女客の顔をちらっと見た。訪問者が母の知人ではなく、父の客だと気付いたのだった。

「でもお父さんはたまにしか帰らないんでしょう」

「あと五日すると帰るよ、沖縄から」

良はきっぱりと告げた。はじめ気負っていた母が次第に打沈んでゆくのを知ったのだった。女客は彼とその父の相似をさぐるようにしていたが、

「お父さん、好き？　きらい？」

と聞いた。

「ふつう」

良はそういった。親に対して普通という答えがおかしかったので、直子は苦笑した。良は女の前で、父が好き、というには抵抗があったのだろう。彼は居心地悪そうに、母へ向けて、友達の処へゆくと告げると立上った。直子が客への挨拶を注意すると、良は軽く頭を振っただけで出ていった。女ふたりの間に索漠とした空気が立ちこめた。その空気に逆うように美澄は帰るそぶりをしながら、

「母親と、子供。ずっと二人で暮せばいいわ」

そういった。若い女特有のつんとした物言いが耳の端を掠める。夫の情事の相手を、彼より十歳も若い、自分より二十歳も年下の女にみるのは疎ましかった。逸男の男盛

りと、女の激しい熱情とをからませるのは堪えがたい。女が立っている。傍若無人の中にどことといって言えないほどの、虚ろさがある。虚勢のなかの悲哀は女客だけのものではない。直子はひとりの男を争う女の醜さを知りながら、去ってゆく闖入者を呪詛の目で見ずにいられなかった。

「奥さま、そろそろ出かけましょうよ」

晴れた朝、隣家の由紀子がベランダから顔をのぞかせたが、直子を見ておどろいたのだった。

「どうなさったの、顔が腫れぼったいわ」

直子は頬に手をあてたが、昨夜は眠っていなかったのだ。

「気分が冴えなくて。今日はなんでしたかしら」

「プールへ行く日じゃありませんか。いやあね、忘れたの」

由紀子はそういった。プールで泳ぐ約束をして、申込みも済せていた。昨日の思いがけない訪問者のあったあとで、泳ぐ気分には到底なれなかったが、じっと一人で引籠っていると狂いそうな気持でもあった。なにかあったのかと問う由紀子の前で、直子は目を伏せた。

「昨夜は眠れなくて、あれこれ考えているうちに、死にたくなったのよ」

「悩みがあるのは素適じゃないの。なにもなくて大食している女より、心の奥に炎があるのは、濃く生きている証拠ですもの」

由紀子の言葉に、彼女は慰められた。他人が察するほど不自然に見える夫婦生活を選んだのは、誰でもない自分であった。なにが返ってきても、自分で償わなければならない。

「今日は気が沈んで、出かける気になれなくて」

「なに言ってるの。じっとしていてもろくなことはないわ。そういう時こそ外へ出て、ぱっと発散するに限るのよ」

直子はためらったが、由紀子に引っぱられるようにして外出を決めた。青ざめた心で籠るには、自分で自分が不安でもあった。

バスに乗ってゆく終点のK駅は、郊外の拠点の街である。この五年で目立って繁華になったが、駅から遠くないところにスポーツクラブが出来た。二人は新規のクラスに入って、決められた水着と帽子とメガネを身につけた。一階にあるプールは新しくて水底は青く、温水がゆらめいている。直子は人前に裸身に近い水着姿をさらすのは恥かしかったが、準備体操をする時気がつくと、クラスの大半は中年から老年の人々で、彼女より年上の男女が多かった。女が体形の崩れも意にかけずに、積極的に水に入ろうとする勇気に感嘆した。

広いプールは温水にしても水に浸ると肌にさむいが、ふちに摑まって指導員の教える通りに足をばたつかせていると、肌は解放されてゆく。やがて思い思いにプールに散らばっていった。直子は少女の時分に房総の海で泳いだきりなので自信はなかったが、水に入ると初め少し重いと思った身体がしぜんに浮いた。由紀子も泳げるので、二人はプールの片側にそって泳いだ。数メートル泳ぐと、ふちにつかまる。直子はクロールが好きだが、由紀子は背泳ぎだった。泳げた、という満足感で、ふたりはメガネをあげて笑った。由紀子はグラマーで、水着姿に貫禄があるが、直子はすらりとした姿態だった。

「あなたって肌が白くて、均整がとれていて、惚れ惚れするほど綺麗ね。見かけより十歳以上若い肉体をしているわ。あなたが泳ぐと真白な水鳥が、すっ、すっと、湖を渡ってゆくようよ。ほら見てごらんなさい、あっちで水掻きしていたおじさまが、茫然として見惚れているわ」

由紀子は半ばふざけて言いながら、直子の腕をつまんだ。

「悩ましい胸をしているのね。能ある鷹は爪を隠す、じゃない、美形の女はこれを包む、ってこと。御夫婦円満なわけが分ったわ」

まんざらお世辞でもなく由紀子は言ったが、直子は自分の身体をそのように意識したことはなかったのだ。

「いい塩梅にプールに若鮎のような女の子がいなくて、よかった」

「帰りにブティックで赤いセーターを買いましょうよ。若返ると思うわ」

「ほんと、若くなりたい」

言いざま、直子はふちから離れて水に浮いた。水に馴れると身体がひとりでに動いてゆく。頭の先から足の爪先まで伸びきった肢体がすいとゆくと、快い。まだ身体の線も崩れていなくて、水に透く腕や肢が白くてたおやかだ。ある日若い女の闖入者を迎えて、コンプレックスに打ちのめされながら対峙したことの口惜しさを、今水に流さなければならない。若さがいくらかでも残るうちに、ある覚悟をしなければならない。十年の歳月を濃く生きることが出来たのなら、それでよくはないか。逸男を愛している想いは、良に受け継がれてゆくに違いない。彼の形見を授かったのだから、もう男を放してやるべきかもしれない。彼には彼にふさわしい人生があって、きらびやかにも若々しくも花を開かせたらいい。どの道陰の生活には馴れているのだから。彼が去っても、良がいる。あと十年良は女親のものだろう。その先は未分の領域である。今は死ぬほどの怨みと悲愁の中にいても、女の辿る道はこんなものだ。

直子は水中に涙を流し、塩辛い涙は透けた水にまじっていった。二五メートルの端まで泳ぎつくと両手で摑まり、弾む息をととのえながら、顔を伏せて哀しみに堪えた。あとから由紀子が泳ぎついた。顔が合うと、やった、という目でにこりとする。彼女は豊満な胸を波打たせながら言った。

「きれいなフォームねえ。肢が長くて、足の裏が少し赤みがあって色っぽいわ。あなたってほんとに身体に色気があるのね。しぜんに滲み出る艶っていうのかな。ほら肌がなめらかで、水滴を弾き返すじゃないの」

「なに言ってるの。あなたの肌からも水の玉が弾き落ちてゆくわ」

直子はそう言い、由紀子の精一杯の慰めを感じた。今日という日に初泳ぎしながら、悲哀を溶しこんだプールのしょっぱい味を、忘れないだろうと思った。

あとはもう何もかも忘れて無心になろうと決めると、水とのたわむれに身をゆだねた。一時間が過ぎて、クラスの人々はプールから上るとサウナに入り、さっぱりとした顔で散っていった。日頃化粧らしい化粧をしない直子は、丹念に化粧をする由紀子におどろいたのだった。運動をしたあとの生き生きした皮膚におしろいは邪魔に見えた。

「直子さんこそなぜきれいにしないの。女が化粧で変身を望まないのは、生きることに怠慢なせいだわ」

「あなたは誰のためにそれをするの。御主人のため？」

「むろん自分のためよ。主人は私の顔を見たりしないもの。そこに妻がいれば、昨日と今日と顔が変るわけじゃないと思ってる」

「お化粧をすると、もう一つの人生のゆめが生れるのかしら」

「そうも言えるわね。私はきれいな自分が好きだし。あなたのように自分をひた隠しにして、襤褸で包んで、あ、ごめんなさい、自分を目立たそうとしない人が、ふしぎで仕様がないわ」

どうしてなの、と問われても、直子にも分らなかった。二人は一致しない意見のまま街へ出ていった。プールへ来たおかげで直子は家に引籠って暗鬱に過すことから免れて、心を洗われたようなひんやりとしたあきらめの中にいた。来週もまた泳ぎましょう、と由紀子は言い、直子は頷いたが、本当のところそれは分らない。明日のことさえ彼女は信じることが出来なかった。

五日あとに逸男は沖縄から帰宅した。重いカメラの類を仕事場に置いて、郊外の家へ戻ったのは週末の午過ぎであった。やや日灼けした彼が玄関から入ってくると、家の中は忽ち活気をおびて充されてゆく。男の気配ほど家を確かなものにする存在はなかった。直子はじっと男を見る。充実した仕事の手応えと、疲れとに、やや倦んでいる。良は父親にやたらまつわらない。父親に馴れないというのか、時折帰る父に照れるのか。直子はいつもの濃い珈琲を淹れた。良が父に留守の間のことを告げるのは、ただ一つである。

「ママが、水泳クラブへ行ったよ」

逸男は黒い髪の下の目をあげて、良から妻を見た。

「ママが珍しいな」

「スマートに泳いだって。プールの人がみんな見たって。隣りのおばさんが言ったよ。ママが泳げること、知ってた?」

良はようやく父を正面から仰いだ。

「見たことないなあ」

「ぼくも」

直子は苦笑して横を向いた。この年になって泳ぎを褒められても始まらないのだ。今のうちに良はたくさん父と会話を交しておくといい、とだけ思った。良は父から沖縄の竹富島のエメラルドの海と、古い屋根瓦の家々の話を聞いていた。

「九十歳を過ぎたおばあさんが、ミンサ織というのを織っていた。良い貌だったなあ」

「写真、撮ってきた？」

「むろんさ。皺が年輪の数ほどあるんだ」

父のことを女専門といったことも忘れて良は聞いている。しばらくして良が部屋を出てゆくと、逸男は妻のそばへ来た。

「内地へ帰ると寒いだろうと思ったが、暖冬なのかそれほどでもない。植物園の梅は咲きはじめたか」

「早咲きの梅はほころびたでしょう」

「行ってみようか。君に話がある」

直子は予期していたが、やはり胸を衝かれた。家で話さないのは、良に聞かれたくないのだろう。

「私にも話があるわ」

逸男が皮のジャンパーを着る間に、彼女も黒いオーバーを羽織った。このあたりは家の戸締りは気にしない。

植物園は裏の土手道を廻ってゆけば近い。季節外れで植物園は閑散としていた。園内に花らしい花は山茶花か寒椿しかない。途中に葉牡丹や福寿草の花床があったが、直子の目には入らない。奥の梅林には人影がちらつくが、すぐ見えなくなった。いつ来ても静かで、しっとりしている。梅は早咲きの臘梅の古木が枝をひろげて咲きはじめている。花は黄色く、花弁の内側に黒紫色をつけて気品高い。そばへ寄ると香気が漂う。あたりに青梅もほころんでいて、薄青いはなびらの花弁は大きい。名札が付いている。

「緑蕚と書いてある。風雅なおもむきだなあ。女なら君くらいの年配かな」

彼は口のうまいことを言い、直子を見返った。

「日本も良いが、ぼくは近いうちトルコへ行こうと思っている」

「どのくらい」

「最低一年だ。観光事業団から仕事を持込まれている」

一年は長い。十年というほど今の直子には長期に感じられる。その間に彼はつけるべき話をつけようとしているのかもしれない。

「君はどう思う」

「お仕事はあなたが決めるのでしょう。いつもそうですもの」

「ここらで腰を据えて仕事をしたいからね」

「あなたの留守の間に、斎田美澄という人が尋ねてみえたわ」

逸男は一瞬目をむいて、梅の木から摘んだ青い花を捨てた。何しに、と聞く夫の顔を、白々しいと直子は思った。ここまで追い詰められた彼女にとって、彼のごまかしだけは見たくなかった。

「あのひとは、あなたと結婚するといって、身内を調べに来たのよ。そうでしょう、ほかにどんな理由があって」

ある事態を呑みこもうとしながら、彼は直子の気迫に押されてたじたじとした。斎田美澄とは三月も会っていなかった。彼女とはとうに終っていた。なぜ彼の隠れ家のような留守宅まで来たのか分らない。直子がなにか言っている。いつも口数の少い妻が臘梅の幹の下で、暗い炎のように目を光らせているのだ。

「妻がいる、となぜ言わないの。たとえ出まかせにしろ、母と、弟がいる、とあなたは話したのね。人には言っていいことと、いけないことがあるでしょう。あのひとはその言葉にこだわって私を見たし、私も同じ言葉にこだわったわ」

逸男は別れた女がやってきたことが、まだ不可解なのだ。

「彼女の厭がらせだ」

そう気付いた。妻と子を、女の前で母と弟だと出たらめに言ったとしても、方便なのだ。関わった女と結婚を口にしたことはないし、それほど深入りもしなかった。彼女が来たのは未練だろう。自意識の強い女が、と彼は唸った。彼女が何を言おうと関係ない、二度とあやまちはしないだろう。彼は妻の顔のただならなさに打たれて、二人の距離をちぢめるために、二、三歩寄った。

「疾うに終ったんだ、ばかだな」

「女は、侮辱された言葉を一生忘れないわ」

そして許さないだろう、と思った。もう終った、といって済す男が寄ってくると、彼女は一歩下った。彼は臘梅の花の下で顔を歪めた。

「競争の激しい仕事をしてきて、カメラの被写体から、これしかない一枚を撮るために打込んで、ずいぶんばかな真似もしたし、危い橋も渡った。うぬぼれをひん剝かれたこともあるし、足許を掬われたこともある。家へ帰って、待っている家族と暮す一日二日は静かで、修羅の日常のあとの禊のような安らぎだった。人がおふくろと呼ぼうと、弟と言おうと、妻子であればいいじゃないか。そのくらいの居直りがなくて、やってゆけると思うか」

「あのひとの前で、今のことが言えて」

直子は真摯に聴える夫の声に耳を傾けながら、まだ信じかねていた。彼はふうん、といったまま答えない。

「あなたはひとりで好きなことをすればいいわ。トルコへでもどこへでもいらっしゃい。私には良が居るから、別れても、あと十年は生きなければならないわ」

「トルコのイスタンブールは魅力的だ。良も連れてゆくし、君も連れてゆくよ」

直子はうろたえて、拒んだ。

「私は行かないわ。あたり前でしょう」

逸男は梅の木の下から出ると、彼女の腕を掴んだ。

「トルコで新しい仕事をする。食えても食えなくても、かまわないんだ。いや、大丈夫だ」

今の今までどうするか決めかねていたが、彼はようやく直子と息子を連れてゆくことに、心を決めたのだ。そのことで仕事のふんぎりがついた。梅林を出ようとして、まだ頑なに拒んでいる彼女を引っ立てた。

直子はトルコが世界地図のどこにあるかも知らなかった。けれど、心を傷つけながら、夫に抗しながら、自分はやはり随いてゆくのだろう、と感じはじめていた。夫に掴まれた腕の痛みに逆いながら、梅樹の下を出てゆく時、冬の名残りの薄青い梅のはなびらを、彼女は見た。

遠い青春

東京の郊外の団地に住んでいる和代が姉の若子のアトリエをたずねてくるのは、いつも子供の学校へ行った間のあわただしい時間であった。アトリエは青山墓地の近くにあって、町中にしては静かな場所であった。庭をまわってアトリエをのぞくと、若子はカンバスに向かっていた。

「お邪魔だったかしら」

「いいのよ、手を入れていただけなの」

若子はジャワ更紗の涼しげな服を着て、妹より若々しく見えた。和代は庭に咲くグラジオラスやカンナの美しい盛りを眺めた。アトリエにはきれいな鳥籠にカナリヤがいた。

「この家へくると、いい匂いに包まれたようで、ゆったりした気分になるわ」

和代は美しい姉を仰いで言った。

アトリエはどの部屋より広々として、あちこちに花が飾られていた。今日も白い壺にあふれるほどのりんどうが活けてある。

「綺麗ねえ、このお花も深井さんの差し入れ？」

「そうなの」

一週間に一回ずつ友人の深井保から花を届けてくる。彼の実家は薔薇園を持っていて、そこの花床に咲いた花を園丁が運搬の途中においてゆくのであった。深井は昔は絵を描いていたが、今は美術評論を書いている男であった。

「いいわねえ、一週に一ぺんこんなに豪華なお花が届くと思うと、贅沢な気持ちになるわ。何本あるかしら、三十本、いえ、五十本はあるでしょうね、勘定するのはたいへんだけど。私なんか買うとしたら二輪か三輪よ。団地の２ＤＫに住んでいれば、そんなところが精々だわ」

　和代は姉の生活の豊かな色彩にいつも惹かれた。これといって贅沢をしているのではないのに、姉の雰囲気には浮世ばなれのした、おっとりしたものがある。描きかけのカンバスを幾枚も並べて、さまざまな色に囲まれていると、そこもまた花園といえるかもしれない。

「浮世の苦労がないみたい」

「独り者だから、のんびりしているのよ」

　若子は安楽椅子に掛けて、細い首をうしろへ伸ばした。

「独り者といっても、お姉さんは未亡人上がりなのに、華やいだ感じがするわ」

「未亡人上がり？　へんな言い方」

　若子は笑い出しながら、良人と子供にかまけて暮らしている妹のつつましい暮らしを考えていた。それに比べると、良人に死なれて、一人息子を育てながら油絵の仕事を続けてきた自分のほうが、たいへんだったと思う。しかし気分的には誰にも制約されずに過ごしてきたので、自由かもしれない。息子の千夏にもうるさいことは言わなかったが、いつか大学生になって、自分のことは自分で考えるようになっていた。

「団地にいても暮らしの工夫をすればいいじゃないの。壁を塗りかえるとか、家具を置き替えるとか」

若子は妹に言った。

「でも２ＤＫは２ＤＫよ、どうしようと、あれより広くならないわ。それでいて暮しはさまざまよね、おどろいたことがあるの」

和代は姉の顔を仰いだ。

「この間、思いがけないひとに団地の近くのマーケットで呼びとめられたわ」

「誰に？」

「当ててごらんなさい、と言っても当たりっこないわね。亡くなった中森洋吉さんのお母様よ」

中森の名を聞くと、若子の目は大きく見開いた。二十年ぶりに耳にする名であった。中森洋吉の母はあの頃中年すぎの肉づきのよい、貫禄の備わった部長夫人であったが、今でも昔のおもかげのままであろうか。

「よくあなたが分かったわね」

「ほんとにね。私は名前をお聞きしても、まだ思い出せなかったわ」

と和代は言った。彼女の住む団地の人間は夕暮れになるとマーケットへ買い物にゆく。そこで和代は旧姓を呼ばれた。

「失礼ですけど、広田和代さんでいらっしゃいますか」

白髪まじりの髪をぼさぼささせた七十過ぎの老女であった。くたびれた着物をぞろりと裾長に着て、買い物籠を下げている。

「中森でございますよ、亡くなった洋吉の母です」

と名乗られた時は、はっとした。よく見るとたしかに険のある眉や、よく整った面長な顔は見覚えがあった。中森宇和は二年前にこの団地へきてから、和代をどこかで見たひとだと眺めていたそうだが、女学生の和代を思い出すことが出来なかったという。その日も和代の買い物をする声を聞いていて、もしやと思ったのだった。

「お姉さまの若子さんはお元気のようですね、すっかり有名におなりになって。雑誌のお写真で拝見しますよ」

と宇和は言った。和代が姉のお供で中森家をおとずれたのは、ほんの二、三回であったが、その度にきびしい目で自分たちを見た宇和のことは、忘れるわけにゆかなかった。立派な門構えの中森家の夫人が、今どうして団地に住んでいるのか、不思議でもあった。そのことを訊ねると、宇和の細おもての、皺を刻んだ顔は曇った。

「主人が亡くなりまして、相続税ですっかり持ってゆかれましてね。洋吉が死んでから、ろくなことはありませんよ」

「団地には、どなたと」

「洋吉の弟がおりましてね」

宇和の住んでいるのは、和代と三つほど棟の違う、同じ2DKの建物らしかった。そのことも和代を驚かせた。洋吉の弟なら、年配の男に違いない。その家族と住んでいるにしては、2DKは狭すぎる。六畳と四畳半ほどの部屋と台所のついた板の間とは、和代のような親子三人暮らしでも鼻がつかえそうである。和代は信じかねる気持ちで相手を眺めたが、昔不親切に扱われたこだわりがあって、親しむ気になれない。それどころか相手が懐しそうに話しかけてきて、しきりに若子のことを訊ねると、逃げ出したい気持ちになる。

「子供の帰る時間ですから」

と別れをつげると、宇和は一緒にマーケットを出て歩きながら、一度おたずねしてはいけないか、と言った。その調子は、いけないといおうとぜひとも参りますよという感じであった。

「おひるがお暇でしょうねえ。その時間にまいらせて頂きましょう、なにしろお近くですから」

宇和は和代のいる棟を見上げたが、自分も彼女も同じ団地の同類だという馴れ馴れしさがあった。和代は圧迫を受けながら、やっとこの老女から離れて、自分の住む二階の部屋へ戻ってくると、ほっとしたものの、これから宇和の訪問を受けると思うと気が重かった。このコンクリート造りの規格品の住居は、人の訪問を迎えるには小ぶりすぎて、いかにも私的な憩いの巣というものに過ぎなかった。

二日あとに宇和は早速たずねてきた。マーケットで会った時よりいくらか身づくろいをしていたが、和代の住まいへ入ってくる時の好奇心に充ちた表情と、他人の生活を観察するような目は、和代をたじろがせた。洋吉と若子が恋仲で、二人が寄りそうのを、決してゆるすまいと目を光らせていた頃のきびしい彼女と、少しも変わっていなかった。おだやかな洋吉は母に気兼ねをして、若子を招ぶとき妹の和代も一緒によんだりした。姉妹には早くから父親がなく、少し前に母親も失ったばかりであったから、両親のない姉妹に対して宇和は信用しなかった。その冷たくきつい態度は、無邪気な女学生の和代にもぴんぴん響いて、怖い、と感じさせた。

戦争の末期、戦病兵として兵役解除になっていた洋吉は、戦後の混乱の最中に結核を再発して死んでしまったが、その病床にも宇和は若子と会わせようとしなかった。若子はそのころ復員してきた遠縁の高浜亮と周囲から結婚をすすめられていたが、耳を貸さなかった。それでいて高浜がくると拒もうとしなかった。和代にはその当時の姉は自棄になっているように見えた。

戦後の二十年は、姉の生活をすっかり変えてしまった。商事会社の広告部に勤めていた若子が画家として独立するとは、さすがの宇和も想像しなかったろう、と和代は小気味よかった。宇和は団地の和代の部屋へくると、すっかり落ち着いてしまい、出されたお茶をもったいらしく飲み、姑が嫁のところへたずねてきたような口調になっていた。

「若子さんは絵が成功なさったのに、あなたはなにもなさらないの」

「はあ、私は才能がなくて」

和代は肩をすぼめて答えたものの、なんの権利があってそんな差し出た口をきくのか、わけが分からなかった。宇和は若子や和代の境遇を根掘り葉掘り聞いて、相手が当惑しようと、一向かまわないのだった。そうしてたっぷり半日坐っていて、小学生の女の子が帰ってくると、ようやく腰を上げて出ていった。

「そりゃあ図々しいおばあさんよ。何しに来たかというと、若子さんに会いたいということなの。今度一緒につれていってほしいと言われたけど、私はあの方のお供は真っ平だから、お姉さんのお耳に入れておこうと思って」

「そう」と若子は頷いた。二十年の歳月は茫々としてあれほど怨んだ中森洋吉の母の顔もおぼろになっていた。

「会わないほうが良いと思うわ。押しつけがましい人で、会ったあとも不愉快よ。昔から良い感じの人ではなかったけれど、まだあの頃は堂々として品があったわ。今は陰気で、そういっては悪いけど、みすぼらしいのよ。団地の生活もいろいろね」

「年をとると、かまわなくなるのよ」

若子はいずれ宇和に会うことになるだろうと思った。避けられないことだとも思った。和代は家政婦の運んできた白桃を食べたあとの口を拭いながら、しみじみ言った。

でもあのひとがお姑さんでなくて、お姉さんほんとによかったわ。洋吉さんと結婚していてごらんなさい、今頃まで厭がらせやいじわるをされているわよ。どんなに生活が変わっても、あのひとの気性は変わっていないらしいわ」

「そういえば、ずいぶん辛い思いをしたっけ」

そう言う代わりに、若子は画室の庭へ目をやった。そこには美しい季節の花が咲いていたが、あの頃は防空壕と家庭菜園しかなかったことを思い出さずにいられなかった。

若子と洋吉はその頃同じ会社に勤めていた。家庭にいる娘も徴用に駆り出されるほど、戦局は差し迫った情勢に追いこまれていた。勤め先で空襲のサイレンを聞く度に、社員たちは地下室へ避難した。解除になると、防空頭巾を外して、ほっとした表情で階段を上がってゆくのだった。帰りは真っ直ぐに帰宅しないと、どんな目に遭うかわからなかった。お腹が空いても、外食券がなければ食べ物を手にすることは出来なかった。町はいつも暗くて、敵機がくると東京の空も森のように暗く静まった。そんな中でも恋が育つのは、不思議なことではないかもしれない。若子たちは若くて、今日も生きていた。会社が退けると彼女と洋吉は近くの駅で待ち合わせて、二人で帰った。いつも洋吉が彼女を送り届けて、引き返すのであった。彼女の家は青山にあって、近くの墓地は目立たない散歩道であった。墓地の崖下に腰を下ろして、洋吉の持ってきた乾パンを齧りながら喋ることもあった。ある時、彼は握り拳を出して、

「当ててごらんよ」

と言った。そのころ口に入る物と言えば乏しい配給品しかない。

「なあに、見せて」

彼の拳を開くと、うずらの卵が出てきた。ゆでた小さなうずらの卵は貴重なものに

見えた。二人は半分に分けて食べたが、惜しくて、のみこむことが出来なかった。洋吉は時々珍しいものを国民服のポケットから取り出して、若子をよろこばせた。豊かな彼の家には食べ物にもゆとりがある。食べるふりをして、若子のために運んでくるのだった。

彼の家では若子の来るのをよろこばなかったから、戦争が終わった時、彼女は二人の間もこれで終わるだろうと思った。軀の弱い洋吉は戦後の混乱に生き抜く自信がなかった。

「富士の見える高原へでも行って、小学校の先生になろうか。来てくれるかい」

と彼は言った。若子はええと頷いたが、中森家でそれを許すはずはないと思った。

ある日曜日、洋吉はそのころ盛り場の焼け跡を占領した闇市で、さつま芋やリンゴなどを買って若子の家へきた。彼女の台所は食べ物が相変わらず乏しかった。

「野菜を摂らなければ駄目だ」

洋吉は庭へ下りて、少しばかりの菜園を作るために土を起こした。彼が発熱したのはその晩からであった。若子は和代をつれて見舞いに駆けつけたが、玄関で帰された。

宇和は式台に立ったまま、

「熱があって、どなたにもお目にかかれませんのよ」

とそっけない応対であった。若子は彼女のわきをすりぬけて病室へゆきたい気持ちであったから、唇を嚙みしめた。たとえ熱があっても、洋吉は若子をみて力づけられるだろうと思った。彼女は勇をふるって頼んでみた。

「隣のお部屋まで、うかがってもいけませんか」

「折角ですけど、医師に止められていますから」

宇和は岩のように立ちはだかっていた。追われるように門の外へ出ると、和代が泣きだした。若子はこのようなみじめさを、二度と味わうことは堪えられないと思った。

洋吉はそのあと、療養所へ入って亡くなった。まだストマイなどの新薬のない時代であったから、宇和の手にも負えなかったのだった。若子は洋吉の母を思い出すと、式台の上に立ちはだかって、険しい表情で見下していた中森家の夫人がうかぶのであった。洋吉の病気を再発に追いこんだのはお前だ、というような目をしていた。あの尊大ぶった夫人が、団地の和代の部屋へたずねてきた老婆とすると、二十年の月日は人間を変えるのだと若子は思った。

週に一度花を届けさせてくれる深井保が顔を見せた日も、若子は仕事をせずにぼんやりしていた。

深井はアトリエへ入ってくると、描きかけて並べてあるカンバスをゆっくり眺めるのが常だった。戦後にお茶の水の美術研究所へ一緒に描きにいっていた頃からの友達であった。若子の絵に花が多いのは、彼の贈り物のせいである。

「浮かない顔をしているね。息子に恋人でも出来たのか」

深井は遠慮なしに声をかけた。

「どう致しまして。死んだ昔の恋人のことを思い出しているところ」

「そんなのがいたっけか。案外話せるじゃないか。御亭主は知ってたの」

「さあ、薄々は感じていたでしょうね。どうでもかまわない気持ちで結婚しましたもの。療養所で恋人のほうは死にましたわ。先方の親は最後まで会わせてくれなかったけど」

「勝手に会いにゆけばいいのに」

「あの当時の娘はそれが出来なかったのね。病院は厳格なことで有名な病院だったし」

若子は相手の母親が、自分に会いたがっている話をした。

「へえ、過ぎてしまえば、関りのあった人間が懐しいのかな」

深井は興味ありげに言った。

「で、会うつもり？」

「会ってみようと思うの。五年前に亡くなった主人のことは日々に忘れてゆくのに、どうしてかこの頃、昔の恋人の顔を思い出すのですもの」

「それは男恋しくなったせいだな」

「失礼ね、そんな言い方」

若子は気のおけない男友達を睨んだ。五十歳になるまで一度も妻帯しない深井は、遊び好きで、何事もずばずば口にする男であった。三年に一度はふらっと外国へ行ってしまい、半年もして戻ってくると、あちこちの女の話をおもしろそうに若子や千夏に聞かせるのだった。彼女がまだ学生の千夏をはばかって目配せすると、

「千夏君の年では興味しんしんなんだ、いいじゃないか」

平気な顔をして喋った。この家で深井は自由な存在で、野放図と思うと、夜はさっさと帰っていった。深井の目に彼女は女らしく映るかどうか疑問であった。彼女がかさかさした絵を描くのをきらって、「中性じゃあるまいし」「なんにも滴ってこない」などと言った。若子は独りでいることに不安を抱くこともあったが、亡くなった良人に激しく愛されたかしら、と考えることもあった。それは洋吉に抱いた一途な恋の、ぬけがらのような生活に思われてならなかった。

「私の青春は、ズボンを穿いて、防空頭巾を手にして、暗闇の道を同じような服装の青年と肩をよせて歩いた姿なの。別れ道へきて、さようならを言うでしょう、明日も生きて会えるかしらと思うと、切なかったわ」

「しかし、相手がいれば良い方さ。兵隊の僕には別れる相手もいなかった」

「女に手の早いあなたにしては、迂闊な話ね」

「人が悪くなったのは、戦争が終わってからさ」

深井はにやにやしていた。彼が来ている時千夏は帰ってくると、おもしろいことにぶつかるように、生き生きした表情になる。

「夏休みに学生の海外旅行があって、今年は申し込みが多すぎたって。羨ましいな」

「そんな費用を出してくれる親御さんがいるのかしら」

若子は不思議な気がした。

「当たり前じゃないか、お母さんは世間知らずだな」

千夏は大人びた表情をうかべた。深井は親子を見比べながら、

「外国へ行きたければ、いつでも世話してあげるよ。団体旅行なんか意味ないね。大学を出たら二、三年行ってみるか」

と言った。

「冗談じゃないわ、一人息子よ」

若子はむきになって、深井に言った。

「一人息子だから手放すのさ。女親にべたべたされる息子はろくなもんじゃないからな」

「無責任に言う人ね、子供を持ったこともないのに」

「千夏君は自由さ。君はお母さんの初恋を知ってるか」

深井はいつもの調子でのんきに喋った。千夏は母親に似た色白の細い顔に好奇心をうかべた。

「知らないな、結婚するずっと前？」

「そうらしい。君の父親より良い男だったそうだ」

出まかせを喋り出す深井を、若子は狼狽して遮りながら、顔へ血がのぼってきた。息子に聞かれたくないと思った。息子の若々しい顔を横目にみると、二十年あまり昔の若かった男と女のふれあいを思い出さずにいられなかった。深井はそんな若子を冷やかすように、初恋の男の母親が会いたがっているという話を千夏に聞かせた。

「君のお父さんがいなくてよかったのさ。聞けば愉快とは言えないだろ」

「そうでもありませんよ。父は物事にこだわらない質でした。母が絵を描けたのも、父のおかげだと思うな」

「仲々良いことを言うじゃないか」

深井は千夏をおもしろそうに眺めた。

「君は若いのにおだやかで、学校の教師になりたいそうだし、父親にも母親にも似ていないね」

「そうですか、じゃあ誰の子かな」

千夏が明るく言うと、若子は顔を赤くして二人の男をたしなめた。

「つまらないことを言うのはお止めなさい」

彼女はずっと昔、洋吉が富士の見える高原の町の教師にでもなろう、と言ったことを思いだしていた。


中森宇和がアトリエへたずねてきたのは、半月ほどあとであった。幾度も電話をもらって断わりきれない若子は、だんだん会うのが億劫になっていた。しかし一度は会ってみようと心に決めたことだった。今の宇和をとくと確かめたい気持ちもあった。和代に書いてもらった地図を手にして、彼女はやってきた。アトリエへ入ってきた宇和を、立ち上がって若子は迎えた。白髪の老女に昔の面影を探すのは困難であった。

「結構なお住まいですこと、見事なお花」

と宇和は、昔を思い出させる声で、無遠慮に部屋の中を見廻した。古びて派手になった縮みのきものを着て、昔より一まわりも小さくなった宇和は、物腰だけは尊大さを残していた。彼女は若子の変わらなさを褒めて、顔をうしろへ引きながら、

「おきれいだこと」

とお世辞を言った。若子は冷え冷えした気持ちを味わって、挨拶のしようもなかった。このひとが洋吉の母か、若い二人を裂いたひとか、と眺めた。宇和は椅子に掛けると、カンバスの絵を目にして、

「あなたの絵は美しいという評判ですね。絵はなにより美しくなければいけませんよ、汚れた絵はわざとらしくていけません。一号はどれくらい？」

ずばりと値を訊ねた。若子は言うことの確りした老女におどろかされた。

「いくらにもなりませんわ」

「芸術家といわれたら、大したものです。御出世ですよ。御主人を亡くされてお子さんとお二人だそうですが、お楽なはずですね」

宇和は椅子に腰を落として、居心地よさそうに運ばれたお茶を飲んだ。

「お子さんは男の子さんとか、お幾つ？」

「大学に行っています」

若子は曖昧に答えた。今日千夏は遅く帰る日だったと、ほっとしていた。戦後の闇市の賑わった頃、若子と和代は洋吉をたずねても、お茶よりほか御馳走になったことはなかった。洋吉はそれを苦にして、言いつくろった。ある日彼の方からたずねて来て、二人で遠くへゆく相談をした。

「あなたがゆくなら」

若子はついてゆくと誓ったが、実行出来ると思えなかった。洋吉はやさしく彼女を抱いて、大丈夫だと慰めてくれた。二人の間が裂かれて、洋吉の病気が悪化したころ、若子は求婚者の高浜亮の来るのを拒まなくなった。投げやりな気持ちで、どうなってもかまわなかった。そのうち妊娠していることに気付いた。ふいに彼女は高浜との結婚話から逃げ出して、子供の始末をしようとしたが、高浜はそれを彼女の羞恥心ととっていた。

「ばかだなあ、結婚式を挙げなくても結婚は出来るのだ」

高浜は言ってのけた。生まれた子は若子にそっくりであったが、人は目許が高浜に似ていると言った。子供の顔は幾度も変わって、少しずつ大人びてゆく。若子は中森宇和の皺の目立つ、しかしよく見れば整った顔へ目を当てていた。今ではおぼろになった洋吉の顔が、千夏の顔と重なって目に浮かんだ。

「団地に息子さんの御家族とお住まいですか」

と若子は聞いてみた。すると椅子に楽々と掛けていた宇和の表情は少し翳った。

「いいえ、洋吉の弟と二人で暮らしていますよ」

「まあ、独身でいらっしゃいますの」

「結婚はしていますが、嫁は病身で、子供が出来ませんでね」

「病気でいらっしゃいますか」

若子は入院でもと思った。

「結婚して五年にもなるのに、子供も生めない軀です。私は別れたほうが良いというのですが、息子はぐずですから、ずるずる延ばしていましてね。だらしがなくて困りますよ」

「でも夫婦仲はよろしいのでしょう」

「嫁は実家の離れにいましてね、息子はそっちへ行ったり、団地へ戻ったりしているのです。嫁が別れようとしませんで」

困った嫁で、と宇和は腹立たしげに悪口を言った。

「嫁は病身で、生活費も嵩みますし、私はいつまでも楽が出来ません。こんな広い画室へ通していただくと、せいせいしますよ。昔は十畳と次の間つきの部屋を自分の部屋にしていたものです。洋吉が生きていたらその位の暮らしはさせてくれたと思いますよ。あなたとは親しくしていただきましたねえ」

宇和は馴れ馴れしい声になっていた。都合の悪い部分は忘れてしまい、勝手なところは覚えているのだった。

「若子さんのように独立した方も、将来のことは考えておかないといけません、私が良い例ですから。息子はなかなか親の思う通りになりませんよ」

宇和の団地の隣室に保険会社の社員がいて、保険の勧誘をさせてくれている。年寄りは大したことは出来ないが、それでも契約が取れると小遣いになる。若子さんにはぜひ加入していただきたい、洋吉もどんなによろこぶことだろう。老女はそれだけのことを長々と喋った。

「五百万円ほどいかが？」

若子はおどろいて、首を振った。老女は少しずつ金額を下げていった。若子は困った気持ちで相手の顔を眺めていたが、中森宇和のたずねてきた目的がわかると気持ちは楽になった。

「では五十万円。最低でしょう、あなたにとって」

「それだけ契約いたしますわ」

早く相手の用件を片付けて、終わりにしたい気持ちが若子は強かった。宇和の顔は崩れて、上機嫌になった。

「結構ですわ、五十万円。伺った甲斐がありましたよ」

この執拗な老女なら、たいていの人間は負けてしまうだろうと若子は思った。ようやく宇和は訪問の目的を終えて、帰る時間になった。玄関まで送りに出た若子は式台に立って、年より老けてしまったに違いない宇和の白髪を見下ろした。死んだ洋吉はなんといってこの光景を眺めることだろう。この時ふいに玄関の扉があいて、千夏が入ってきた。思いがけない帰宅に若子ははっとした。

「ただいま」

背の高い息子は来客とぶつかると、横に身を引いた。

「まあ、息子さんですか、御立派ですねえ」

宇和は顔を上げて、じっと千夏の顔をみつめた。彼は急いで会釈する。式台に立ったまま、若子はじっとり汗ばむのを覚えた。戦後から今日まで二十年以上も一人で堪えて、和代にも洩らさなかった千夏の出生を、いま宇和は嗅ぎ出そうとしているように見えた。彼女の目は懐しそうに大学生にそそがれて、動かなかった。

「若子さんは良いこと、たのもしい息子さんがいらして。私の長男は早くに亡くなってしまいましてねえ」

老人特有のくどくどしい声で彼女は喋った。千夏は困って立っている。式台の上で若子は二人の顔を見ていた。不思議な、おそろしい時間を感じた。知らずに祖母と孫は眺めあっている。

「私は若子さんの古い知り合いの中森でございます」

「千夏です」

挨拶がすむと、宇和は帰らなければならなかった。千夏が扉をあけると、丁寧におじぎをして老女は出ていった。思いのほか背中はしゃんとして、確りした歩き方であった。ふりかえって二人に会釈をくり返した。若子は扉をしめさせた。契約を取った以上、もう宇和の来ることはあるまいと思ったが、深い疲れを感じた。

部屋へ引き返しながら、千夏は訊ねた。

「今のおばあさんは誰？　深井さんの話していたひと？」

「古い知り合いの方よ」

「乞食ばあさんみたいな感じだね」

「千夏！」

と若子はたしなめたが、苦いわらいとも、哀しみともつかないものがこみあげてきた。

「なぜ急に帰ってきたの。今日は遅いはずじゃなかったの」

「新宿の本屋で深井さんに偶然会ったら、今夜後楽園のナイターにつれていってくれるというの。儲けちゃった」

着替えをしに帰ってきたのだった。

「深井さんもいい年をして、のんきな人ね。野球をわざわざ見にゆくんですって」

「お母さんもゆかないか。気持ちがいいよ」

こんなことを言うようでは、息子にはまだ恋人はいないと若子は思った。いつか恋人が出来た時、その娘との結婚を許してやらなかったり、嫁にきた女をいじめて息子から引き離そうとする姑になったら、と思うと、若子はおそろしい気がした。

「なに考えてるの、お母さん」

千夏は新しいスポーツ・シャツに着替えて、アトリエへ入ってきた。

「いまに千夏にも恋人が出来るでしょう、そうしたら自分で思う通りにして頂戴。結婚でも、生活でも、自由にね」

「へえ」

と息子はおどけた顔をした。

「お母さんはどうするの」

「私はひとりで気儘に暮らすわ。お嫁さんと息子を取りっこするのはごめんよ」

「いっそ再婚したらどうです」

「この年で、相手がいませんよ」

「すぐそばにいるじゃないか」

息子の顔を、若子はしばらく眺めていた。男の子がいつから一人前の口を利くようになったのか。

「誰のことか分からないわ。ませたことをいうのね」

「週に一度ずつ、二年も三年も花を届けてくるのは、愛情の告白って奴じゃないかな。手伝いのおばさんもそう言ってるよ、涙ぐましいですって」

若子は大きな竹籠に差した可憐な撫子を眺めた。

「あの人は、独身主義なのよ。一生結婚しないで、のびのびしていたいのよ」

「今まではそうだったけど、そろそろ岸に辿りつきたくなったんじゃないかな。今日も僕に言った。女房はどうでもいいが、お前さんくらいの息子を持って、ビールを飲んだりするのは悪くないって」

深井には深井なりの青春の傷があったのかもしれない、と若子は思った。

「いまさら誰かと暮らして、愛したり、嫉妬したりするのは、億劫な気がするわ。女はそりゃあ業が深いのよ」

彼女は息子の屈託のない若さを、眩しく眺めた。息子の青春はこれから始まろうとしていた。すると鉄兜を片手に下げた青年と、防空頭巾を手にした娘が、夕闇の道を手をつないで歩いてゆく姿が目に浮かんだ。若子は消え去った青春を惜しむように、一とき静かな庭へ目をやった。

老妓の涙

一

小津家の小満津はこの頃朝起きが大儀でならなかった。寒いころは神経痛で腰が痛かったり、手首が痛かったりしたが、春になるとそれは薄らいだかわり、身体がかったるくてならない。寝床の中でぐずぐずしているようになった。日曜日はお座敷もめったにないので、なおだらしなく床の中にいる。若い時はこんなことはなかった。前夜おそくまで勤めがあっても、翌朝は稽古の時間があるのでさっさと起きたものである。こう身体が言うことをきかないようでは、お座敷勤めも長くは出来まいと考えるようになった。

一つには仲良しの沖江が引いたからでもある。沖江のほうが小満津より三つ四つ年は若いが、三代芸者で八十歳すぎの老母と、三十歳あまりの娘がいる。廃業したところでれっきとした芸者家を営んでいるので、困ることはないが、小満津のほうはそうはゆかない。一人暮しであった。娘分として育てた愛子は堅気の男へ嫁いでしまい、今では二人の幼い子供がある。

「おかあさん、うちへいらっしゃい」

と言ってくれるが、あんな世話のやける子供のいる家へ行ったら、態のよいばあやになってしまう。第一小満津はおばあちゃんと呼ばれるのが大嫌いで、なんだか自分が薄穢ない老婆になった気がして、やりきれない。彼女は七十歳であった。お座敷で、

「バアさん、元気かい」

と客に言われる分にはかまわないのである。それでも愛子が子供をつれて遊びにくれば、惜しげなく小遣を与えることにしていた。昔から笊といわれる位で、有ればあ

るなりに使ってしまう質であった。沖江が罷めてしまうと、身辺寥々として、こう老妓が減っては座敷へ出てゆく張りあいも失せるのだった。小満津は髪を黒々と染めていたし、顔はガマ口で、器量が佳いとはいえないが色白だし、目許に愛嬌があるので十くらい若くみえた。

「相変らず若いじゃないか、五十過ぎとはとても見えない」

　客が冷やかすと、

「なに言ってるの、まだ二つ三つ間があるわよ」

「ほんとか、じゃあうちの家内と同い年だ」

「よかった、お宅のお母さんと同い年でなくて」

　客と笑い興じるのがたのしかった。小満津は十三歳で雛妓（おしゃく）に出て、今日まで現役で出ているから、ざっと五、六十年の水商売である。昔の朋輩はあらかた待合の女将か置屋の女主人か、さもなければ堅気になって身を引いてしまっている。小満津のように名妓というほどの器量もなく、平芸者で未だに出ているのは、甲斐性がないからである。みっともないから置屋を構えなさいとすすめられてその気になっても、娘分が結婚したり、置いた妓が病気になったりで、また自分が働きに出るはめになった。小満津は明るい座敷に出て陽気にさわぐのが性に合っていた。今日まで出ているのは男運の悪いのも確かだが、勤めをいやと思わないせいでもあった。

二、三年前までは木場の木安の隠居が時折来ていた。花札の好きな老人で、来ればコイコイをやる。小満津もやりだしたら夢中になるほうで、真中の座布団を膝で押してゆく。二人は良い勝負で、口喧嘩をしながら取ったり取られたりして夜を明かすこともあった。負けた木安が蟇口をひらいてケチケチと札を数えてよこす時ほど、小満津はうれしい時はなかった。天下を取った気分であった。反対に負けた時はむしゃくしゃする。札を投げ出して、

「さっさと帰ってよ」

と言ったりした。時によっては情にからめて、その分奢るから、とか言って外へ御飯をたべにゆき、お安いところでごまかしてきたりする。小満津は幾歳になってもそれなりに気が若くて、木安は友達ではなく旦那だと思っていた。

木安が亡くなってから、花札を開くこともなくなったが、その前は魚河岸の仲買店

の老主人松川がきていて、恰幅の良い身体にいつも魚臭をつけたひとだった。

「あんたと寝ると、まぐろを抱いているようだ」

と悪態をいうと、相手も負けずに、

「それじゃあ、おまえは干物か」

そうやり返すのだった。この人の来ていた頃は、いつも台所に生きのいい刺身魚が絶えなかった。料理するのも上手で、鯛の刺身のあとのあらは上手に煮たり、吸物を作ったりしてくれる。小満津は両袖を前で合わせて、いい匂いねえなどと覗いていればよかった。この人との縁も三年位のもので、脳溢血で倒れると、小満津は自然に会う折を失った。彼女の一番長い旦那は、なんといっても浦安大蔵であろう。二十九歳から四十九歳の女盛りの二十年を添ったひとである。彼女が不運なのは、浦安大蔵が不運だったからで、貧乏籤と言わなければなるまい。彼が亡くなったのは終戦の翌年の花の終り時で、物資の乏しい最中であった。小満津はその死には立会っていない。浦安は一人娘の婚家先で目を瞑ったが、訪ねてゆくにも疎開先のことだったのである。

彼女は寝床の中で指を繰ってみた。

「明日が命日だわ」

そのことに気付いた。昔の人だが、ほかに身寄りのないせいか、お彼岸がくる度に思い出すのは浦安のことである。命日は忘れて過すこともあったが、うまく思い出せば墓参りにゆくことにしている。

小満津の寝ている天井が、急に軋むような音を立てた。おや、と細い首をもたげた彼女は、階段をみしみしさせて降りてくる足音を聴いた。ああこの二階には下宿人がいたっけ、そう思うとおかしい気がした。男はまだ大学を出て二、三年にしかならない、若い大柄な青年である。足がばかに大きい。一ぺん素足で降りてきたのをみてびっくりした。柔道でもやっているのか安定した、力の漲った足で、五体も大きい。ウドの大木かどうか知らないが、胸板も厚い。あんな胸に押しひしがれたら、女はもみくちゃになるに違いない。家の中に男がいると思うと小満津はたのしかった。つい一年前までは手伝いの女がいたが、昨今はお手伝いさん不足であとが見つからないのである。同じ町内の鮨屋のおかみさんから、弟を三カ月ほど下宿させてほしいと頼まれた時、すぐ承知した。家の中に男っ気があるのは悪いものではないからである。

小満津は床から出て着物を着た。動作は早い。

「高野さん、珈琲を淹れるからお入りなさいよ」

台所で湯を沸かしていた青年は朝の挨拶をした。朝といっても午に近い時間である。ふだんは時間がずれていて、顔を合わすことはまれだった。彼が来て一カ月あまりになるが、まだ五、六回にすぎない。手早く部屋を片付けて身じまいをすませると、食卓を出した。この家の背後は元築地川であったが、今は川を埋立てて高速道路に変貌してしまった。古い風情の下町も、自動車の走るトンネル道路になっては処置がない。

昔、築地川の美しかった頃、その先の道路を隔てた建物まで空襲で焼けて、川のおかげでこちらは残った。小満津の家は態のよい三軒長屋の端で、古びた家である。戦後、家主が買ってくれというので、彼女は無理算段のあげく厭々買い取ったが、今となるとこれ一つが小津家小満津の持ちものであった。

奥の座敷で、車の走る音を聴きながら彼女は朝のトーストを高野にすすめた。つくづく相手を眺めると、高野の方も照れくさそうに小満津を見ている。

「あなた、幾歳だっけ」

「二十四です」

「若いわねえ」

「おばさんも若いです」

おばさんか、小満津は苦笑した。他に適当な呼び方も思いつかないとみえる。高野は目も鼻もまるくて、のっそりした感じだが、優しい心根の男にみえた。平凡なサラリーマンで、あと二カ月もすると会社の独身寮へ移るのであった。

「日曜日はいつも何処へ出かけるの」

「散歩したり、寄席へ行ったりします」

「寄席ねえ」

へええと彼女は思った。口下手そうな男が寄席で笑っているのは、無邪気で健康な感じがした。

「好いお天気だから、私はお墓参りに出かけようかしら」

「誰のお墓です」

「死んだ旦那のよ」

彼女はトーストを美味そうに食べている高野の皓い歯を、好もしく眺めた。珈琲の香が流れている。

「いつ亡くなったのです」

「十九年も前よ。奥さんはもっと前に亡くなったし、娘さんも数年前に死んだそうだから、誰もお参りする人がいないと思ってね」

「意外と義理堅いですね」

「思い出す人だからよ、自分の慰めにゆくようなもんよ」

小満津は青年の人の好い顔に目をあてて、一緒に出てみないかと誘った。

「お墓はどこです」

「谷中よ、わりと静かでね」

「じゃあいいや、僕も上野へ行ってみようかと思っていたとこです」

相談が決まると、彼女は身支度をはじめた。墓参りにゆくのに、人を誘うのは初めてである。鶯色の鮫小紋に黒い羽織の短めのを着ると、小満津は垢抜けてみえた。大柄の高野が用心棒に見える。

谷中は寺が多い。日暮里から入ってゆくと坂下にかけて両側に寺がある。浦安大蔵の眠る寺は団子坂に近い大きな寺で、台地の下にある。広い墓所のまわりは樹木があって、崖上まで蔽っている。小満津は途中で買った花を抱え、寺男に線香をわけてもらって、墓所の奥へ歩いていった。高野は水桶をもってついてきた。

「この崖上は空襲で焼けたんですって。この墓地へもバラバラ焼夷弾がおちたそうよ。この崖があったおかげで、風下は助かったのね」

小満津は寺男に聞いた話を、高野に受け売りしてきかせた。浦安家の墓は案の定、人のお参りした気配はなく、花も上っていない。もっとも命日は明日であった。

「この仏さまも、始末の悪い男でね」

小満津は墓碑の上から柄杓の水をそそいで、花をそなえた。浦安も大きな体格の男で、生活力は旺盛であった。自力で商事会社を興して、かなり手広く鋼材を動かしていた時期もある。大正の終りから昭和の初めにかけてであった。彼女はそのころ彼の世話になった。世の中がその後不景気になると、山気の多い彼はあれこれと手を出して、一時は神戸を飛び歩き、その後は満州（現、中国東北部）に手をひろげたが、事変が拡大してから、かえって行き詰りになった。

「話ばかり大きくて、お金はまるっきり無かったのよ」

神戸までついていって、ひどい目に遭った話を小満津はした。その日の車代にも困るのに、立派なホテルに泊って、外人バイヤーと商談をする。バイヤーは暗に若い小満津を欲しいそぶりをみせるので、ぞっとして浦安をみると、彼の方は泰然としている。半分は空とぼけているのだが、どうされるかわからない。危ない橋を渡って東京へ逃げ帰った時は、さすがの小満津も二度とあんな男と連れ添うのは止そうと思った。

「有為転変のはげしい男でね」

殺しても死なないだろうと思うほどしたたかだった、と彼女は冷たい墓石を眺めたあと、合掌した。広い墓所へ若い女が水桶を提げて現われたのは、その時であった。高野の方が先に目にして、見ていると、白いスーツのむすめはこちらへ歩いてくる。近づいてきたと思うと、二人に向けて会釈した。今どき愛想のよい娘だと小満津も挨拶を返したが、娘は同じ墓の前に水桶を下した。

「祖父のお参りにきて下さったのでしょうか」

「あらまあ」

小満津は今日までに仏の身寄りに会ったのは、初めてであった。

「浦安のお孫さんですか」

「はい、安達万紀子です。母がよくお噂してました小満津さんでしょうか」

「さいですよ、まあ命日でもないのにね」

「日曜日ですから、私も一日早くお参りにきましたの」

亡くなった浦安とは似ない美しい娘だった。なによりも肌がきれいだ。白くて肌理のこまかい、なめらかな皮膚を持つ、匂いそうな娘盛りである。

「おじいちゃん喜びますわ。母も先年亡くなって、縁につながるのは私ひとりですの」

「今も、この仏は悪い男だったと話していたところですよ。私は二十年もつきあわされて、貧乏芸者にさせられましたからね」

「母も言ってました、金持かと思うと破産して、祖父は居たり居なかったり、神出鬼没だったそうです」

「亡くなったのは、お宅でしょう」

「そうなんです、最後に転がりこんできて、死んだ時はウォルサムの腕時計をしていたきりですって」

「そんなもんですよ。むちゃくちゃな気性で、志ばかり大きくて、地道なところのない人でした」

「祖母が死んで、祖父があなたに後妻にならないかと申し込んだら、止してよ、と断わられたのですって」

「よく御存じですね。あんたと心中するのは真平と言ってやったんですわ」

「祖父があなたの口真似をして話すのですって」

万紀子はおかしそうに笑った。美しい娘がわらうと、花輪がたわむようにあでやかであった。お供の高野も、おいしい御馳走を前にしたように固唾をのんでいる。

「折角仏のお引合わせですから、お茶でも飲みましょう」

小満津が誘うと、万紀子は腕時計をみて頷いた。三人はそこから遠くない上野へ出て、大きなパーラーへ入った。小満津はこの娘が大蔵の孫かと思うと、他人という気がしない。浦安は彼女にずいぶん贅沢もさせてくれたが、それは初めのうちで、彼が事業に手をひろげ、それがうまくゆかなくなった後半は、坂を転がりおちるようなみじめな有様になった。金を貰うどころか、金を貢ぐ始末であった。それでも、うまくゆくかもしれない夢を抱かせる男であった。出先の女将たちが、別れることをすすめたが、男の落ち目に切れるのは厭だった。もう一花咲かせる日を待ちたかった。パトロンのいない芸妓は一流を張れない。正月の出の着物がどうにも作れなくて、古いのを作り直した。

「染めかえしの姐さん」

と陰口を利かれたのは骨身に応えた。彼女のお座敷は長唄で、声量はあるから木遣りもよくする。人がよくて、気前もいい上に、くよくよしないのが取得であった。口が大きいから金が残らない、と客にからかわれるが、自分でもそうかなと思うことがある。満州まで渡っていった浦安大蔵は、結局ものにならずに帰ってきて、老残の末に、終戦のあとのどさくさで死んだのである。

「どんなになっても別れなかったのは、やっぱりあなたのお祖父さんがよかったのねえ」

小満津はソーダ水を飲みながら、ぬけぬけと言った。

「どこがよかったのです」

高野が訊いた。

「べつに男前でもなかったけど、長く一緒にいると履き心地の好い履物みたいにぴったりするのね。あんた方も履きなれた靴は楽で、気持がいいでしょう。そんな味ね」

その代り、出世には縁がなかったと小満津は苦笑した。万紀子は四歳で死別した祖父のことはよく覚えていなかった。

「お祖母さんは死ぬ時、お祖父さんと別のお墓へ入れてほしいと遺言したのですって」

「へえ、それでどうなってます」

「遺言通りお祖母さんはうちのお墓に入っていましたけど、母が亡くなった時、もう良いだろうって谷中へ持ってゆきました」

「私の方がうまくいってたのねえ」

小満津は満更でない顔をした。死んだ男はあとになるほど良いことばかり思い出されるのであった。

「悪い男は、かえって魅力があるのじゃありません？」

万紀子は言った。

「女はいじめられるのも案外好きらしいわ」

小満津は調子に乗って喋った。この娘は案外男をよく見ているようだと思った。これだけの娘に恋人がいないはずはないとも思った。彼女と高野は同じ丸の内に勤めているらしく、そのことも話合っている。小満津は万紀子を眺めていると、飽きなかった。

「今度、遊びにいってもいいでしょうか」

と万紀子はいった。

「ぜひいらっしゃいまし。小唄でもよかったら教えてあげますよ」

「小唄？」

彼女の生活と小唄とは少々かけ離れていたが、小満津と話していると明るくてたのしかった。万紀子は時計をみて帰る時間を知ると、立上った。小満津は残り惜しい気がしたが、若い娘は敏捷な動作で離れると、すらっとパーラーの扉の外へ出ていった。

「これから人に会いにゆくようですね」
高野は言った。若い男にはピンとくるものがあるのか、と小満津は意外な気がして連れの顔をみると、彼はまだ扉の方を見送っていた。

二

安達万紀子は約束の時間に篠原譲がくるとは思っていなかった。この頃の彼はいつも遅れてきた。彼女はそれを咎めたことはない。休日も仕事の性質で飛びまわらねばならない彼を知っていたから、いつまでも待っていた。約束の場所は銀座の外れの、京橋に近い喫茶店で、夜になるとハイボールを出すバーに変った。ボーイしかいない小さな店で、彼女はベルモットをもらった。

今日初めて会った老妓小満津のことを、万紀子は久しく会わない肉親のようになつかしく感じた。身綺麗な、痩せ形の老女は、渋い着物の着こなしの佳さのせいか女らしくて、働いているためか生き生きしていた。まだ色香さえ漂う眼差の艶っぽさは無類であった。小満津をみると、あんな女の一生もあるのかと万紀子は新鮮に感じた。祖母や母が厄介者扱いにした、どうにも始末の悪い失敗者の祖父を愛して、一生尽した女がいたと思うと、不思議でもあり、ありがたくもあった。祖母にはわからなかったただらしない男の魅力が、小満津を捉えて離さなかったのかと思う。悪い男と知っても離れられない女は、世の中に数えきれないほどいる。

彼女はもうすぐ篠原が来るとおもうと、期待で胸が詰るようであった。初めに近づいたのは篠原の方だった。彼は同じ会社の広報課の独身社員であった。仕事のできる男で、会社の製品のPR紙も作るし、テレビ番組にものせる担当をして、顔が広かった。身嗜みも悪くなく、きびきびしていたから、女子社員にもてた。目に人を寄せつけない陰翳があって、冷淡かとおもうと、笑顔には打って変った甘さがあった。彼にみつめられるとどきっとする、と女たちは騒いだ。彼に夢中になった女子社員がいて、断わられたとか、捨てられたとかの噂を万紀子は聞いたことがある。その女性はもう罷めてしまったから、真偽のほどはわからない。

万紀子は営業部にいたが、彼に頼まれてPR紙の写真のモデルになった。電器新製品の売出しのバックに船を使うというので、晴海埠頭まで一緒にいって、碇泊中の外国船の前で風に吹かれながらモデルになった。お礼といって夕食を奢られたが、彼の自腹だということはわかった。彼は接近してきてもくどいわけではなく、しばらく会わないでいると、また誘うという風であった。テレビ局へ行ってみたとき、女優たちとも親しいのを目にした。若い女優とドライブの約束をしているのも小耳に挟んだ。万紀子は知らん顔をしていたが、篠原のてかもしれないと思うと、憎かった。彼を警戒していながら惹かれていた。ある晩、映画に誘われた帰りに車に乗ると、彼はふいに道をそれて神宮外苑の暗い中を運転手に走らせた。万紀子はどきりとし、何処へゆくのかと身を固くした。車は外苑から不思議な道を通って新宿へ出た。駅前で降りると、篠原はからかうように、

「今日のドライブは、どうだった?」

と言った。

「あなたが運転すれば、もっとスリルね」

彼女も負けずに言った。

「よおし、今度はもっと暗い杜の中へ連れてゆくから」

篠原は目を光らせ、万紀子はあわててそばを離れた。別れたあと、快い昂奮が残った。女蕩しかもしれないと思った。彼の正体を見たいと思った。その時から、彼に囚われたも同然であった。万紀子は家庭ではいつも一人だった。母が亡くなって、若い継母を迎えて幼い弟妹が生れると、彼女は家庭の中では余計な存在になった。父と話すことも少なかった。そのさびしさを篠原は充たしてくれた。

会社で仕事の手際のよい男が、浮かない顔でいると、万紀子はすぐ分った。ＰＲ紙の新しい企画を持ってゆくと、彼の気分は変った。

「女は鈍感だと思ったが、君はそうでもない」

「つまらなそうな顔をしていれば、誰でもすぐ分るわ」

「僕は飽きっぽいからね」

彼はまったく日によって気分が違った。誰にも愛想のよい時と、疲れて気難しい時とがある。そんな夜に会うと、暗い目だけが燃えていて、ろくに言葉も交わさずに、万紀子は彼の殺風景なアパートへ連れてゆかれた。いつかそうして愛されることが、彼女の幸せになった。

日曜日の夜に会うことはまれであったが、今夜彼女はどうしても彼に会いたかった。祖父の墓参りを口実に家を出て、小満津と会ったのは丁度時間を埋めるのに都合がよかった。ベルモットを嘗めながら男を待っていると、いつも不安を伴う関係にいることが、身にしみて思われた。

バーの扉があいて、篠原が入ってくると、万紀子は心に灯がついたように笑顔になった。彼のあとから若い女が入ってくるのを目にして、彼女は頰を強張らせた。まさかと思ったが、やはり彼の同伴者であった。今スタジオから引上げたところだと彼はいって、

「鳩さゆりさん」

と女を紹介した。篠原はこういうてを使うことを、珍しくも、おもしろくも感じていないようであった。鳩さゆりは万紀子を無視して、篠原と同じハイボールを注文した。互いに若い女で、それほど見劣りしない同士であれば、なにかの形で優位を決めなければならなかった。さゆりの方がその姿勢に積極的になっていた。彼女は今日演

じたドラマの仕事を話題にして、篠原を離さなかった。

「いつも今夜位で上れば楽だわ。あとがあそべるし」

「君はいいかもしれないが、僕は明日も朝から勤めがあるので、かなわない」

「大目に見てもらいなさいよ」

「そうはゆかない。まだこの人と打合せもある」

篠原は万紀子を振返った。鳩さゆりの表情は変った。

「なに言ってるの。今夜はあそぶ約束だったわ」

彼女はグラスの酒を小気味よく飲みはじめた。白い喉が仰向いて、倒れる勢で飲み干すのを篠原もバーテンも眺めた。先に酔えば勝ちだと知っているのかもしれなかった。万紀子はまだそれほどの勢で酒を飲んだことはなかった。呆気にとられて見ていた。鳩さゆりの喉も頬も染められて、新しいグラスに移った時、篠原も観念したのか、

「じゃあ、飲もう」

と言った。

「君も飲まないか」

「飲んでるわ」

万紀子はグラスを挙げてみせた。負けだということは分っていた。篠原もそうなればとことんまで飲むに違いないし、鳩さゆりの介抱も彼の役目であった。二人がわからなくなるまで見届けなければならないのだろうか。苦い酒の味を舌にのせながら、彼女は今夜の成りゆきを嚙みしめていた。

篠原との関係をこれまで人に話したことはなかったが、小満津に会ってから万紀子の気持は変った。自分たちと無関係な世界のひとに、聞いてほしいことがあった。一旦心に決めると、それだけが救いに思われた。

万紀子が築地の家を訪れたのは、二週間ほどあとの土曜日であった。なんの前ぶれもなしに行ってみたが、小満津は心待ちしていたといって、よろこんで迎えてくれた。下町の住居は万紀子には珍しい。あちこちと見回した。玄関のわきが台所で、両方とも往来に面している。奥は二間続きの座敷で、簞笥が三棹嵌めこまれているのが目立った。

「ここからお座敷へいらっしゃるの」

「いいえ、支度は小津家でしますよ、ここは寝に帰るだけ」

と小満津は答えた。鏡台があったり、三味線立てがあったり、どことなく華やいでいて、老女の部屋とは思えない。大きなちりめんの座布団に坐るのも、万紀子には珍しかった。小さな茶道具で女主人は玉露を淹れてくれた。町の中の女住居はしっとりして、情緒があった。名妓とよばれる、ケンのある皺だらけの美貌の老妓をみるのは怖いが、小満津には屈託のないのどかさがあって馴染みやすい。男に泣かされて、裸になっても尽した、古い芸者バカな味があった。

「今日はまだ高野クンは帰ってきませんよ、帰ればよろこぶのに」

「高野さんはこの間、お茶を誘ってくれましたわ」

「ほんと？　見かけによらずすばしこいところがあるのねえ」

小満津は感心した。男と女が一瞥で目から発光しあうエーテルをもつのを、心得ないわけでもないが、高野にしては上出来だと思った。出窓から外の景色を珍しそうに眺めた万紀子は、いつかぼんやり物想いして、悩ましい風情がある。恋という文字を吐息で洩らしている姿であった。

「万紀子さん、結婚の相手はもう決まっているんですか」

小満津は誘い水に、声をかけた。若い女の心をほぐすのに造作はない。

「なんと言ったらいいかしら」

万紀子は捉えどころのない男に惹かれているのを、まだ隠したい気持もあった。初めから安心出来ない男と知っていて、我から奪われてゆく誘惑に勝てなかった。心のどこかで、男のすべてを摑んでみせるという、思い上りもあったのだった。

「会社では私たちのこと誰も気付いていないのです。そのひとに私結婚してほしいと言ったことはありません。狎れると、そのひと逃げてゆきそうな質です。愛してくれても、生活の全部で愛してくれるひとではないのです。私といる時は私を愛してくれても、別にいると、忘れてしまうみたいです。心の底を見せないから、なにを考えているか解りません。会社でも腹黒い男だという人もいるし、気前がいいという人もいるし」

彼女は言おうか、どうしようかと迷った。

「この間、彼に内縁の妻がいるという噂を聞きました」

「で、どうしたの。本人に確かめて？」

小満津は膝を乗り出した。その時のことをいうのは、万紀子には辛かった。篠原は隠す風もなく、すぐ妻のことを打明けた。二年前からその女と同棲していたが、彼に飽きがきて、別れ話になった。女の方は未練があって別れる話に応じなかった。絶えまない争いの末に、彼の方が家を飛び出した。着のみ着のままのアパート住いが、もう一年も続いている。女もさすがに根を切らして、手切金を五十万円要求してきた。放っておくと、少し前に二十万円で折れてきた。

「そのうち五万円位になるさ」

彼は嘯いた。投げやりな、どうでもよい顔をしていた。万紀子は身慄いした。その金を二人で工面して、話をつけてしまいたかった。しかしその女と代ることが出来ても、いつ同じ境遇になるかしれなかった。恋の前途は少しも明るいものではなかった。

「自分の思い通りにならない男ほど、憎い男はないからねえ」

小満津は呟いた。花柳界に生きて、色恋沙汰をみてきた彼女には、どうにもならない恋のあがきがよく分る。堅気の娘の万紀子が、とんだ男の虜になったものだと思わずにいられなかった。彼女の憂さの捨てどころになるくらいしか、相談相手になれないことも小満津は知っている。

「一ぺんここへ連れていらっしゃい、あたしが男の性根をみてあげる」

「お願いします」

なにもかも喋ってしまったことで、万紀子は心が軽くなった。

「小満津さんは浦安大蔵のために一生ひどい目に遭ったでしょう。後悔したこともあったでしょうね」

「意地で離れなかったところもあるわね」

「お墓参りをしたりして、忘れないから不思議だわ。お祖父さんは幸せですね」

「あとになれば、苦しかったこともなつかしいのよ。憎しみの残らない恋をしなけりゃうそだわね」

「憎しみの残らない……」

万紀子は今も色恋に濡れておかしくない老女の柔らかな肩を眺めて、幾人の男がその肩や胸で慰められたかを、思わずにいられなかった。

三

万紀子が訪れたことをあとで知った高野は、残念がった。小満津はわらって、

「せいぜい誘って、おデートをしなさいよ」

と言った。二人の勤め先は同じ丸の内で、昼休みに会うにも都合がよいのであった。万紀子の会社は重電機の会社で、時節柄電器製品も作りはじめた菱谷と聞いて、小満津はあらと言った。

「菱谷だったの、うっかりしてたわ」

「どうしてです」

「有名な会社じゃないの」

小満津はそういった。

翌日、彼女は小津家へ出る前に、古い友達の沖江の家へ寄り道した。沖江は現役を引いてから、かえって神経痛が高じて引籠っていた。

「沖江ちゃん、いる?」

小満津は階下の茶の間でお茶をよばれながら、二階を仰いだ。間もなく沖江は身支度をして階下へ降りてきた。挨拶がすむと、

「久住さんは菱谷電機だったわねえ」

小満津は沖江のパトロンの名をいった。

「そうよ、どうかして」

「世の中は狭いもんね」

浦安大蔵の孫娘が菱谷に勤めている話を小満津はした。久住は重役だが、彼の父の久住幹太は前の社長で、浦安大蔵とは友人であった。今でこそ電器メーカーで菱谷も名を挙げているが、四十年前の菱谷は栄えない重機の会社に過ぎなかった。

「浦安の方が駄目になって、久住さんの会社が残るとは思わなかったわ」

「まったくね。戦後も菱谷の株は煙草一個と同じ値に下っていたもんよ」

「朝鮮事変からかしら、良くなったの」

「それと、やっぱり電器製品の伸びたおかげよ」

「久住さんに、安達万紀子のことを頼んでおきたいのよ。佳い娘だから」

「お安い御用よ、浦安さんのことは覚えているでしょうし。だけどその娘さん、あんたの隠し孫ってわけじゃなかったわね」

「鏡花のお芝居だとそうなるけどさ」

小満津はそうであったらいいと思うと、そんな気もしてくるのだった。身辺のさびしい小満津には、万紀子の出現は新しい生甲斐であった。

万紀子が篠原を誘って築地へきたのは、日曜日の夜も遅い時間であった。まさかこんな時間に訪問者があるとは思わなかったので、小満津はびっくりした。何処かの帰りに回ってきたとみえて、篠原には酒の気があったが、小満津をみると丁寧に挨拶した。男の人懐こくみえる微笑には、女のこころを誘う甘美な露がたたえられていて、なるほどねえ、目が佳いよ、と小満津は思った。鼻筋が通って、唇のあたりは肉が薄くて、冷酷にも皮肉にも見える。一筋縄ではゆかない侍らしいと感じた。

彼も万紀子が珍しがったように、下町の女住居を興味深く眺めていた。小満津はウイスキーを運んできて、彼にすすめた。

「二階に臨時の下宿人がいるけど、まさかこんな時間に万紀子さんが来るとはおもわないから、先刻出ていったのよ」

「男ですか」

篠原は訊いた。

「あなたより若い男よ」

「どうりでこのひと、ここへ来たがると思った」

わざと冗談にして彼は万紀子を見た。

「そうなのよ、万紀子さんというと目の色が変るのよ、お二階さんは」

「僕が来てよかったんですか」

「失恋は早い方が傷も浅いし」

小満津は軽口を言った。高野が帰ってきたら、本当にがっかりするだろうと思った。ウイスキーを飲みはじめても、篠原は顔に出ない質で、酔うのはその日の気分によるのだった。小満津は酒は好きで、ずいぶん深酒をした時期もあったが、年のせいで今は身体の方が大切であった。客があれば本能的に相手をよろこばそうとする気があって、賑やかになった。

「どんなお仕事をしてなさるの」

「広告ですよ、品物を作っている人間じゃありません。売り歩くのでもない。思いつきでお客を幻惑する方法を考えるほうですよ。時には相手の顔がわからなくて、虚しくなるなあ」

「いつもスタンド・プレイをしようと思うと、難しいのよ」

「その年で野球を見るんですか」

「勿論よ、良い身体の若い男がプレイをすると清々する、なによりの御馳走だわ」

「図々しいなあ」

篠原は苦笑した。

「一生、おもしろい思いをしたろうな」

「さあ、万紀子さんのお祖父さんとは長かったけど、終りがいけないわ」

小満津はハイボールを嘗めながら、二人を見比べた。

「あなた方の会社は景気がいいわね。昔は小さな会社で、あたしたちも高をくっていたものよ」

「知ってるんですか」

篠原は訊ねた。

「先代の社長をよく知ってたし、今の久住さんは若い時からお馴染ですよ。顔をみると、バアさんまだ生きてたかなんて。こっちも負けずに、あなた大きくなったわねえって言ってやんの」

小満津は頬をほてらせて、たのしそうに喋った。

「どうお、あんた方結婚するなら、あたしから言って、久住さんに仲人させたげようか」

篠原はぎょっとして、小満津の酔った気分を確かめるように、じっと見た。小満津は明るい眼差で、からかうように二人を眺めていた。この突拍子もない申し出は、満更冗談ともとれなかった。

「結婚ねえ」

篠原は皮肉な笑みを泛かべていた。そういう男を万紀子は見ながら、重役の名の出たことにおどろいていた。どんな足がかりでもよい、それに摑まって結婚という坂を登りたい。ひたむきな気持を隠せなかった。小満津だけは呑気そうに、二人のグラスへウイスキーをそそぎながら、先代久住社長の思い出話を陽気な声で喋り出していた。二人の気持を引立てたい思いだけが、小満津の心を占めていた。

その晩からしばらく万紀子は顔を見せなかった。小満津は毎日心待ちして、家をあけるのを控えていたし、電話でもしてみようかと思ったりした。考えてみると、用事があるわけではなかった。ただ篠原とうまくやっているかどうか、同棲者であった女とは手が切れたか、訊きたいと思った。高野にたずねると、一、二度お茶を飲んだという報告で、彼はうれしそうにそのことを告げた。

三週間ほどしたある日の午後、銀座まで用事で来たという万紀子がふいに顔をみせた。季節で服装が軽くなったせいか、前よりほっそりして見えた。

「どうしたのよ、顔を見せないで」

小満津は心配していた気持を言わずにいられなかった。

「ごめんなさい、仕事が変ったりしたものですから」

「どう変ったのよ」

「秘書課へまわされましたの。うちの会社では営業から秘書課へまわることは、これまでなかったのでびっくりしました。お給料も上りましたわ」

「よかったわねえ」

「久住重役に呼ばれました」

万紀子は小満津の顔を見ていた。照れかくしに小満津は茶を淹れながら、声をかけた。

「篠原さんはどうなの」

「あのひと、罷めました」

ハッとして、茶を淹れる手が止った。

「どういうことなの」

「異動があって、別の課へまわされたのです。それが厭だったのでしょう、罷めました」

「今どうしているのよ」

「テレビの関係の仕事をするのですって」

「うまくゆくかしら。なんて言ってるの、本人は」

「私、それきり会ってもらえません」

万紀子は窓から外へ目をやって、流れる車や、橋の袂を眺めていた。小満津は胸を塞がれた。

「言っておくけど、私は久住さんにお二人のこと何も喋っていませんよ」

「ええ、御心配かけて」

万紀子は微笑を泛かべたが、すぐ凍ったように顔を歪めた。やっぱりそんな結果になったかと小満津は思った。篠原のようなむらな男に惹かれた気持を、責める気にはなれないし、彼の悪口をいうつもりもなかった。万紀子のためになんの力にもなれなかったことが、情けなかった。涙もみせずに堪えている娘がいじらしかった。

「一緒に美味しいものでも食べようじゃないの。今夜はゆっくりしてちょうだい」

小満津はやさしく言った。

「ありがとうございます。でもこれから社へ戻りますから」

彼女は立ちかけていた。小満津はうろたえながら、引止めかねた。高野と時々映画でも観たら、と言ってみた。万紀子は黙っていた。善良な男の退屈さを彼女は知ってしまっている、と小満津は思った。また来てくれるようにと繰返した。

「また伺います」

万紀子は言い、去っていった。また来てくれるかどうか小満津には解らなかった。この女住居に篠原の記憶がある限り、苦痛な場所であろうと思った。同じ思いを、幾度かくぐって、甲羅を経てきた我が身を振りかえった。いつか暗くなった座敷に灯をつけると、彼女は身じまいのために鏡に向かった。老いたせいか、涙もろくなっている。化粧ガーゼで目尻を拭った。今夜も男の酒に興じる座敷へ出るために、化粧水を手にのせて、乾いた両頰へヒタヒタとつけていった。

十九歳

東京駅から乗った中央線の電車が新宿駅を過ぎると、由木敬は窓の外へじっと目をやった。四十三年ぶりの新宿の街は賑わって高層ビルディングが並び、都市の繁栄を謳っている。由木の一生から四十三年を差し引いた日の光景を、人は想像することは出来ないだろう。

新宿駅を出た中央線の線路わきは嘗て瓦礫の山だった。行けども行けども家はなく、空襲の災禍は生ま生ましく、一望焼野原だった。ある夕暮、やっと動いた電車の満員の窓際に押しこめられている時、前方の高い空にぽっかりと富士が浮んでいるのを見た。瓦礫の巷と秀麗な富士の山は一つの視野の中にあった。焼け跡の荒廃は四駅先まで続いた。無人の荒野を行くような眺め、日々の空襲の危機感は、由木の心の画布にその後も長く残った。しかし街は歳月のうちに蘇生して、近代都市に変貌した。彼も自分の戦後を生きてきて、ようやく終りに近づいたいま、なにごともなく還ってこられそうな気がしていた。

彼の降りたA駅は高架線の駅で、広い階段から改札口へ出る。以前は電車が地べたを走って、駅は小さく、ホームには木の柵がめぐらしてあり、まわりの眺めものどかな、都会の近郊の駅だったのだ。彼は教えられた北口へ出て、銀行とスーパーを過ぎた先の不動産屋を見つけた。表ての硝子戸に貸家や貸間の張り紙が出ている。そこが井関の店であった。店の中は狭く、事務員がひとり、すぐ奥の衝立の中から井関が現れた。一瞥して互いが分る。井関は小ぶとりの童顔の男で今も変らないが、歳月は彼の上にもまちがいなくやってきて、髪が薄い。

「よく来たなあ。君はちっとも変らない」

と井関はいった。由木は昔、背がひょろりと伸びた学生だったが、四肢にばねのような力があって、すこやかだった。むろん今は黒い髪に銀線もまじっているが、年相応の変化といえる。

「急に電話をして、悪かった」

椅子にかけると由木はそういった。上京したのは三、四日前だが、思いついて昨日突然に電話をしたのだった。

「こっちへ来るのは久しぶりらしいね。駅前が変ってしまって驚いたろう」

「すっかり変った。もっともぼくの住む小都市もそれなりに変ってゆくが」

彼は大阪に近い都市にいて、戦後大きくなった電機会社の工場の技師を長年勤めていた。工場の外へほとんど出ない一生が、終りにきたのであった。定年のあとも傍系会社に籍をおいたので、老後の設計はおろそかになった。長女が東京へ嫁いでいるので、彼の妻はそのそばへ行きたい、出来れば一緒に住みたいと願っていた。長女の見つけておいたマンションは彼の気に入らなかった。小さくとも土の上に建つ家に住みたかったのだ。

「売家はいま物色しているが、折角だから今日は一、二軒案内しよう。夜はあいているか。宮入がぜひ会いたいといっている」

井関は旧友にも連絡をつけていた。旧制の中学から電機の専門学校まで一緒だったのは三人で、学校とは名のみの学徒動員された軍需工場での明け暮れだった。警報の度に防空壕へとびこむのも一緒なら、焼夷弾の危険の中を帰るのも一緒だった。

「彼は今、どうしているの」

「相変らず中野大和町で電気店をやっているよ」

宮入は親の代からの電気商で、三人が工場から帰る道の最初にあったから一休みさせてもらい、代用パンをふるまわれたりした。この仲間が平和な豊かな時代に顔を合すのは、おかしなことだった。

不動産屋には次々と電話が鳴った。話は道々するとして、出よう、と井関は立上った。店の前に小型の車がある。井関の運転するとなりへ由木は乗った。車は北口から駅のガードを潜って南口へ出てゆき、駅前の噴水のあるロータリーをまわると、広々とした大通りの左右に欅並木が現れた。旧い街の風格のある並木である。由木は目をあてた。

「この並木、今でもあったのか」

「いいだろう、四十三年前と同じだ」

賑わう商店街をよそに、青葉の街路樹の下をぬけてゆく。由木は旧い仲間といると、隔たった歳月も、東京への違和感もなくなっていた。太い樹木の差しかけた枝の下を過ぎると、やがて青梅街道にぶつかる。荻窪と新宿を結ぶ電車道だったが、今は車道である。向い側一帯は住宅地で、奥へ入ると静かな住宅が塀や垣をつらねている。戦災を免かれた古びた構えの家と、建売住宅の明るい家とがまぜ合わさる。

「君の家はこの辺りじゃなかったか」

「マンションが建って、様変りしているが、たぶんこの先だ」

「大きな木々のある植木園だった」

「あれは借り地で、おやじは造園の仕事を兼ねていたが、戦争中は庭木を倒す仕事ばかりだとこぼしていた」

「猫の額ほどの庭も、菜っぱを植えたっけ」

井関は小まわりの利く車を器用に運転しながら小路をぬけてゆく。ふいに由木の目が前方を見て釘付になった。住宅地の片側に今どき珍しい鬱蒼とした樹木に囲まれた家が現れて、傾きかけた竹垣がしばらく続くのだった。彼が声をのんでいると、車は垣に近づき、一気に走りぬけていった。次の横通りを入ってしばらくした角にきて車は止まった。由木は茫然としていたが、井関にうながされて車を降りた。今日の目的の売家がそこにあった。あまり広くない地所いっぱいに建つ、手の込んだ造りの家で、門からすぐの玄関の外壁には大理石が張ってある。わきは車庫で、その上の二階に凝った出窓がある。見映えのする家だ、と由木は仰いだ。井関は持ってきた鍵で玄関をあけた。二階への螺旋階段を見ながら客間へゆくと、十四畳ほどの広さで、ベランダに出ると、ごく狭い庭に芝が張ってある。奥は厨房で、純白の台がまわされ、食器棚もしゃれている。由木は長女が見たら溜息をつくかもしれないと思った。二階へと螺旋階段を上ってゆくのはそれなりにたのしい。三つほどの洋間の南の端の部屋へくると、ここが書斎だと思った。ふだんもあまり家族と話をしない彼を、変人だなどと妻や娘はいうが、勤めのあとの時間は独りの自由がほしかったし、今もその気持が強い。

「近頃の家は合理的だが、無駄というものがないな。ぼくらの昔の家は用をなさない小間や、板敷きや、広い台所があった」

「土地がないからね。合理性でやるしかない」

「娘が一緒に来たら、忽ち自分の生活設計図をかざして、有頂天になりそうだ」

由木はこの家に心を動かされたが、売家の値を聞くと、「一億八千万円」という答えが返ってきた。彼は絶句した。どんな人間が手に入れるのか分らなかった。井関は相手の驚きを無視して言った。

「君は大きな会社を定年退職した。この位の家に住んでもおかしくはないよ。むろん、ローンという手がある」

「夢のような話だなあ。家を買う、という発想が間違っているのかもしれない」

一生働いて、生れた東京へ還ってくるのに家も持てないのか、と由木は自嘲をまじえながら、晩年の生活設計がしぼんでゆくのを感じた。

「この家を見て、一とき、いい夢を見せてもらったと思えばすむか」

それに対して井関は、任せなさい、といったが、由木はあてにしていない。ベランダの入口に腰を下しながら、近年の地価の高騰を実感した。それでもコンクリートの箱のようなマンションに晩年を過そうとは思わないし、今も木の家と庭がほしい。植樹を見て育ち、小さい時から父の手伝いをさせられて土運びをしたせいかもしれない。彼の記憶の中には梅の木を集めた由木園の消えたことはない。彼の父は青梅が好きで、とりわけ緑萼とよぶ、みどり色の萼をもつ白い花びらの梅を大事に育てた。しかし戦争の末期、焼夷弾によってその一劃は家も木々も焼失してしまった。

「こうしていると、歳月なんてのは忽ち消えて、一ぺんに昔に還ってゆくね。目白の崖下の軍需工場へ行ったころがなつかしいよ」

「いつも腹を空かしていたが、ある時徴用の女子学生が、君に渡してくれって干柿を寄こして、こんちくしょうと思ったことがある」

「ぼくじゃない。宮入の間違いだ」

由木は言いながら、暗い時代にも青春を垣間見る思いがした。

「工場の帰り、低空のB29に追われて逃げたことがある」

「そうだ、三人とも逃げ足は早かった」

人の去った町に家が燃えさかり、死体を見て歩いたが、怖いとも思わないほど神経が麻痺していた。由木は記憶をたぐりながら、思いきって訊ねてみた。

「さっき通った道に、木の繁った大きな家があったろう。あの家は昔のままか」

「辻原家のことなら、昔のままだ。軍人上りの当主がいる」

数百坪もある土地の庭は木が繁っていて、真中に建つ家がよく見えない。家も古びていて目立たない。井関の情報ではあれだけの土地なので不動産会社や銀行から土地の利用や、儲け話を持ちこまれるが、当主は耳を貸さないという。頑迷な男らしいが、もっとも売ったとしても税金で大分持ってゆかれるだろう、と彼は話した。売家の三十坪もあるかないかの土地にこだわる自分に、由木は苦笑した。家を見たあとは一つの目的を終えたのだった。由木はいそがしい井関と別れて、古巣のあたりを歩いてみようと思った。井関は頷くと、夜の会合をたのしみにして先に帰っていった。

由木は売家のガレージの前に立っていた。鉄の門扉の中に愛犬がいて、かわいく吠える声を聴く空想にとらわれた。偶然にも彼の若い心をとらえたものがこの近くにあって、彼自身がこの売家に住むとしたら、ふしぎなめぐり合せになろう。彼は元の道へ戻ってゆき、旧家の垣根を目にした。通りの一区劃を占めた邸の角に立つと、ここは彼の昔の家の反対側だと分った。対角の裏木戸と小路を隔てて由木園があり、邸の延長ともとれた。終戦の年には母と妹は疎開し、父は軍需会社へ勤めにゆきながら、地主である辻原家の管理人の仕事を兼ねていた。

彼はゆっくりと人通りのない垣根にそって歩きはじめた。邸内を透かしてみると、離れと土蔵が見えるが、周囲の住宅から孤立したように森閑としている。朽ちた廃屋の匂いがして、広い庭を持つ邸の豊かさは感じられない。木々や植え込みの手入れが行届かないせいだろう。由木園の跡にきてみると、自動車の駐車場になっていたが、邸の裏木戸は残っている。

あれは終戦の年の春、彼は十九歳であった。東京の下町に大空襲があって、すべての人が疎開に浮足立った時である。日曜日の朝、由木は隣りの裏庭の畑をみるために入ってゆき、ふしぎな光景を見た。母屋から突き出た洋館に七、八人の軍人が集り、額をよせて語りあっていたのであった。窓は高いが、のっぽの由木の目と、軍人のひとりの目とがかち合った。彼はぎくりとして立ちつくした。ベランダをまわって現れた軍服の男は険しい眼差で彼を見据えた。それが辻原中尉だったのだ。

「貴様、なにをしている。早く退れ」

主人はそう言い、彼はすぐさま退散した。あとから中年の女中の峯がきて、奥へは決して近づくな、と注意した。由木の父は、

「そうですかい、境界線でも引いてもらわないことにゃあ、畑も、木の枝下しも出来ないやね」と答えた。

「うちの大旦那様は鷹揚な方だったけど、若旦那様はぴりぴりした方だから、触らぬ神に祟りなしですよ」

峯は小声でいった。軍服の客にお茶を出すのも若夫人の役目で、峯ものぞいたことがない。まだ世馴れない夫人は緊張して、手がふるえている、と峯は話してから、お喋りに気付いて早々と戻っていった。

東京の空に空襲警報が絶えず鳴るようになったのはそのあとで、千葉の聯隊にいる主人の帰りは間遠になり、大きな邸に女二人が残された。うら若い紀子は由木の父に用事を頼むのも気を遣うのか、由木が朝早く畑の仕事をすると、心安く手伝いに来た。

「いいです」と彼はいったが、トマトの枝にまだ青くてわずかに赤い、小さな実をみ

つけると、彼女はうれしげに挽いだ。彼は横目で見ながら、時間いっぱい汗して働いた。

峯は時々実家のある埼玉県の川越まで米や物資の買出しにいった。警戒警報が鳴って紀子の顔が引きつると、峯の留守が分るようになった。確かに夜など大きな邸と、広い庭から明りという明りを消し去ると、物の怪が跳梁するような無気味な気配になった。

五月のある夜、いきなり空襲警報が鳴り、上空に轟音がしてB29の編隊がもう頭上にきていた。父のいいつけで彼は走って隣家へゆき、消燈を手伝うと、咄嗟に紀子と土蔵の中へ避難した。焼夷弾の弾ける音が近くにし、恐怖が走った。由木は少年っぽさを丸出しに、口も利けないほどだったが、蔵の隅にうずくまった紀子が白い顔をもたげて、異様にわらうのを耳にして、不安は倍加した。味方の高射砲が間伸びしたように打上げられ、敵の編隊はようやく去っていった。わらったとみえたのは、極度の緊張と恐怖のあまり大声を発したのだろうか。緊張が解けたとき、彼女は嗚咽した。由木は茫然としていた。しばらくして彼が土蔵を出ると、紀子もついてきた。台所口から去ろうとすると、彼女は引止めた。

「私、へんだったでしょう。自分でも分らなくて」

彼は黙っていた。

「時々気が狂いそうに、心細いの。蔵は大嫌い」

由木は答える言葉が見つからなかった。

「男の人は確かりしていて、えらいわね。敬さんはお幾つ」

言葉は彼の喉元にあふれたが、はにかみから声にならない。彼女は緩慢な動作で二つの湯のみに白湯を注ぎ、一つを彼に差し出した。由木は両手で受けとって礼をいった。彼女の夫から、貴様、と呼ばれた声は、いつまでも耳の端にあって消えることはないのだ。二人は白湯に喉を潤おした。やがて由木は下僕のように頭を下げて帰っていったが、背後から紀子は一人前の男に挨拶するように送り出した。

「おかげさまで、助かりました」

どんな者であれ、彼女はそばに居てほしいに違いない。その夜は興奮から、彼は幾度も引返そうとして、蒲団を撥ねのけた。

次の日から、工場が終るやいなや、彼は帰りを急いだ。抑圧された工場での解放感のあとは、仲間と夜の町のズルチン入りの紅茶を出す店にたむろして、女子学生の来るのを待ったが、そのたのしみも捨てた。家に戻っても誰もいないが、暗い戸口に人の気配がする。はっとして腰を浮すと、父だった。警報が鳴る瞬間に備えて、待機する自分に気付くようになった。

ある初夏の日曜日、彼は邸の裏庭で薪を作った。納屋へ運ぶために台所口を通ると、広い台所の柱に寄りかかって紀子が物思いしていた。彼の足は止まった。彼女は気付くと微笑し、なにか言おうとして急に顔をそむけると、奥へ去っていった。彼はじっと目で追いながら、無力感に胸をかきむしられた。

裏庭へ出てきた峯が、畑にかがんで吐息をした。彼女は相手欲しさに、一人前の男というには少し稚いが、しかし身体のある十九歳の若者に呟いた。

「奥様はお医者にかかるよりも、疎開なさればいいんです。御実家からもそう言ってきたくらいだし」

由木は手をとめて、真剣な目をした。

「こんなに広いお邸の留守番は私でも嫌ですよ。下町で焼け出された親戚の方にお貸しすればいいのに、旦那様が承知なさらない。軍人さんのお集りのためですよ」

話すうちに峯の気持はさわいだのか、また言った。

「軍人さんが集っても、戦局はどうにもならないしねえ。その度にこちらはおさつをふかしたり、代用まんじゅうを作ったり、そのための買出しにも行くし」

この邸ではたまに帰る主人のために配給米などは手をつけないくらいだ、とも言った。やがて彼女は立上って、伸びをした。

「ああ、あ、今日は助かったわねえ。警報が一度も鳴らなくて。新宿駅のまわりは焼野原ですものね。ここらもどうなるか」

彼女は昨日よりは今日と、頼みにしはじめた若者を見上げていた。

東京の空の下は夏にかけて相変らず警報が出た。爆撃は夜がすごい。紀子は次第に近づく爆音に竦んだままになった。由木は声もなく家内へ飛びこんでゆき、暗幕の下にうずくまる彼女を物体のようにさらってゆく。防空壕は彼と父とが造ったもので、畳が一畳敷きこまれているが、暗闇の穴ぐらである。母屋が焼ければ蒸し焼きになるだろう。彼は恐怖と勇気を一つにしながら戸を背にして四肢をふんばる。長い緊張の時が過ぎ、危機が去ると、暁闇の白い筋なのか、爆撃の火に焼けた空のせいか、穴ぐらの戸に明りが射す。外の変化を見るのはおそろしいが、外には自由がある。生と死を共にした相手をうながすと、彼女はのろのろと這い出してきて、顔を仰向けた。

「こんな家、焼けるといいのに」

ふたりは蒸し焼きにもならずに家へ入ると、由木は急に元気を取り戻して湯を沸した。紀子は戸棚から蒸しパンを出してきた。彼が忽ちパンを食べ終えると、自分のも差し出した。彼はパンを半分にして片方を彼女につき出した。紀子は初めてパンをちぎって口へ運びながら、人といる安らぎに充たされていた。一夜をまんじりともしなかった疲れのあとに、由木も工場へ行く気はしなかったし、峯が帰ってくるまでかよわい女に付いていたいが、そうもゆかないだろう。彼が出てゆこうとすると、紀子は男のズボンを摑んだ。また独りになる、それはひどすぎる。目があうと、彼の身体に、ある衝撃が走り抜けていった。

その夏は暑かった。すっかり痩せた若者たちは工場でしごかれ、家を焼かれ、脱落するように仲間も散りぢりになっていった。由木の家が空襲で類焼したのは、七月に入ってからである。小路を隔てた辻原家は助かったが、間に由木園があって消火につとめたおかげであった。由木の父は妻子の疎開先へゆき、由木は学業を続けるために、といって、焼け残った物置小屋を仮りの棲みかにした。

戦争末期の熾烈な日常に、生きのびるか、死かの際にいながら、彼はいのちを燃やし続けていた。峯は埼玉の実家へ行く日が多くなり、見捨てられた者だけが都会の焼け跡に残され、明日は滅びるかもしれない運命にさらされながら、生きていた。

終戦の日、昭和二十年八月十五日の真昼、邸の荒れた庭の木立に油蟬が鳴いていたのを由木は覚えている。邸の主が復員してきたのは十日ほどあとであった。紀子は栄養失調から肺尖カタルを患って床についてしまい、由木は物置小屋から追い立てられるようにして去った。空襲も、戦禍も、悪夢のように過ぎた。怖ろしい幸福というものがあれば、若くして見てしまった死とすれすれの、いのちの燃焼をいうのだろうか。

彼は両親の許で学業を終えることが出来た時、青春も終えてしまったと悟った。そのまま地方に住んで仕事に就いてからは、東京へ出ることもまれになり、新宿から先へ行くこともなかった。

歳月は都会の様相を変えてしまったが、どういうわけかこの一劃には焼け残った昔の面影が漂い、取りわけ鬱蒼とした木立に囲まれた邸には、生垣を透かしてみても変化は見られない。増築されたようでもなし、庭の地所がけずられたようでもない。四十年も変らぬままというのは珍しい。それなら人間も変らぬままに生きて、朽ちかけているのだろうか。彼は先程見た新築の売家の小ぎれいに飾った住居を思いうかべながら、家を買うのはそれほど難かしいことではないと考えた。代金の一部を手渡して、未来を先取りすればよいのではないか。彼には未来はないも同然だが、いま少し働くことにして、ある時から先は子が受け継げばよいのである。思い出の土地に還ってきて、通りを隔てた邸や、消えてしまった由木園の梅の木々や、それらの記憶を抱きながら晩年を生きても不都合はない、と思うと、心の高ぶりをおぼえた。由木園のあとにしばらく立ちつくしたが、やがて小路を通って角を曲ると、表門に出る。門は昔から瓦屋根のついた冠木門で、板塀の袖がついている。表札も古びて昔のままの名が記してあった。

彼は井関になぜもっと詳しくこの家のことを聞き出さなかったかと悔いた。ここへ来るまでは、いや、車の中から気付いてはっとした時でさえ、邸へ近づこうとは思いもしなかったのだ。しかし昔と変らぬたたずまいや、母屋から張り出した洋館の尖った屋根を見ると、邸を守ったのは自分たちだ、という思いが湧いた。夫人が今も生きているかどうか、心身ともに繊細なひとだったのを忘れることはない。彼が地方に埋もれた一生に甘んじたのも、過去の強烈な思い出と傷が重かった、といえば言える。

なにものかに押し出されるようにして、彼は門の中へ入っていった。門から敷石を渡ってゆくと、奥まったところに広い玄関があり、わきに内玄関がある。前庭に自転車が置かれて、思いがけなく十一、二の少女が立っていた。顔の小さい、すらりとした少女である。由木は足を止めた。

「どなたですか」と少女は聞いた。

「御主人は居られますか。旧い知合の者です」

昔の辻原中尉の軍服姿を思いうかべて当惑したが、咄嗟にそれしかなかった。少女は家の中へ入っていった。古びたまま新しさの加わらない家居と、あまり手入れのしていない前庭を見ながら、成りゆきに任せていると、大玄関から少女の母らしい中年の女性が出てきた。背の高い、黒髪の豊かな、ふくよかな女性である。どこかで見た顔、という気がした。

「父をお尋ねでしょうか、珍しいこと。あいにく留守にしていますが、いつごろのお知合でして」

と彼女は訪問者をしげしげと見ながら訊ねた。ずっと以前、この近くに住んでいた者だと告げながら、主人の不在に彼はほっとして、名刺を差し出した。いま少しここに居たかったからである。彼女も、娘の奈津子です、と挨拶を返した。

「御主人は当時軍隊の将校でしたが、どうしてられますか」

「ずっと身内の会社に籍だけおいていますの。以前からと思いますが、頑固な人でして、それでも自分の健康には気をつけて、ジョギングをしていますわ」

「軍服のよく映る方でしたよ」

「父も自慢のようでした。私は終戦の翌年に生まれましたから、見てはいませんけど」

さっきの少女が奥から顔を見せて、母になにかいう仕草が愛らしい。母の許しを得ると、少女は外へきて、自転車に両手をかけながら門へと出ていった。由木はなぜとなく少女の可憐さに胸を打たれながら、奈津子からその母の消息を聞こう、と心を決めた。

「四十三年ぶりにこの辺りへ来ましたが、お宅は変らないですね。見事なことです」

「さあ、変らないというか、変えられないというか。母などはこの家に封じこめられたように、一生外へ出歩こうともしませんの」

由木は一瞬息を詰めたあと、言葉にした。

「奥様はお元気ですか」

「はい、ありがとうございます。普段ならお目にかかるのですが、目を悪くしていまして」

彼女は訪問者に親しい気持を抱いて、快活な口調で話しはじめた。母は編物が好きで、自分や孫のセーターを編んでくれていたが、近年目が霞むようになって、気がついた時は両眼が白内障になっていた。今は九割方見えないようで、この状態になるのを待って手術をすることになった。四、五日あとに入院する、と彼女は話した。由木は口を閉したまま、視力を失ったという紀子の老いを思いうかべた。すると取り返せぬ歳月の悲哀に、胸が疼いた。彼はこれ以上長居をすることは出来なかったが、去り難い気持で立っていた。

「お大事になさって下さい」

「母に話してまいりますわ」

「もう昔のことで、覚えてられませんよ」

彼は玄関の式台から奥に伸びた中廊下を見て、廊下の折れ曲った先に広い厨房があり、奥の坪庭をめぐると夫人の居間があるのを思いうかべた。

「こちらには良い木が入っていますね。門の脇の臘梅は昔から見事でした。確か青梅もあったはずです」

「青梅なら、緑蕚というのがありましてよ。古木で、みどりの蕚と白い花びらが美しいのです」

「あれは私の父が入れました。見事な木でしょうね」

「ごらんになりますか」

彼女はこだわりなく言い、ふと彼に笑みかけながら、そのころあなた様はお幾つでした、と聞いた。

「なぜですか」

「四十三年も前とおっしゃるのに、お若いから」

「十九歳でした」

彼の顔に微かに含羞の表情が走るのを、奈津子は見ていた。彼女は玄関の外へ出ると、先に立って庭への枝折戸をひらいた。そこからは奥の庭で、青梅は枝折戸の中に植えられ、見事な枝ぶりで太い幹を伸していた。花の盛りは匂やかな風情だろう、と感嘆しながら目をあげたのだったが、彼の視野の端へ矢のように射すものがあった。

庭の奥の母屋は日本間が続いて、広縁がまわされ、縁先には卓と椅子が置かれていたが、椅子にひとりの女性が掛けていたのであった。目を患った紀子にちがいない、ほっそりした、縹色の和服の夫人であった。由木はじっと見た。縁先からも人の気配に顔が向けられた。ある距離があって、更に歳月が重ねられ、記憶のフィルターは翳りを生んだが、それを越えて惹きあうものがあったかもしれない。

「どなた」

と彼女は広縁から訊ねた。奈津子は母のそばへ近寄って、昔この近くに住んでいらした由木さんとおっしゃる方、と告げた。彼は紀子の反応をおそれながら凝視した。

「そうですか。目を悪くしていて、失礼します、と申し上げて下さい」

彼女はおだやかな声とともに、会釈した。目は霞んだまま、あてどなくさまよっている。彼は一歩も動かずに立ちつくした。時間は消し飛んでゆき、小鳥の囀りの代りに空襲警報のサイレンが響いた。防空壕は庭の外れにあったから、縁を駆け降りて転がりこんでゆく。轟音が近づく。恐怖を共有した者は抱きあって魔の時の過ぎるのを待たなければならない。いつか彼はそれを忘れて、飽食して、平和に馴れてしまったが、彼女は同じ場所で今も過去と切り結んでいるのではないか。由木は踏みこみすぎた庭に気付いた。足許に紫色の菖蒲が数本清楚に伸びている。

「きれいな菖蒲ですね」

「毎年私の誕生日のころに咲きますの。戦後最初の五月のお節句ですし、父は男の子と決めていたようですが、女の子が生れてがっかりしたそうです。父は男しか頼みにしない質ですから」

由木は奈津子の明るさに慰められながら、失礼しました、といった。それから縁先のひとに向けてゆっくりと無言の挨拶を送った。夫人は身じろいだ。

「折角おいで下さったのに、高上りでおゆるし下さい。荒れた庭ですが、都忘れが裏庭の畑だったあたりに咲きますし、梅の木も十本ほどありまして、季節には昔のままによく匂います」

彼女が低く、感情（こころ）をこめて言うのは、よほど珍しかったのか、奈津子がおどろいて、「お母様」と呼んだ。紀子は口をつぐんで、目礼し、由木も、

「お大事に」

というと、庭を出ていった。奈津子はあとからついてきた。

「母は思い出したのでしょうか。お話をしたかったとみえますわ」

「いや、忘れていられるようでした」

彼は取りつくろったが、交すべき言葉は交したと思い、月日を停止させたようにじ

っと座ったままの女人の顔を脳裏に刻んだ。門の近くに来ていた。

「突然伺って、御迷惑をかけましたが、良い思い出が出来ました」

「またお出かけ下さい。この次は父も居るでしょうし、母の目もよくなっていると思いますわ」

由木は奈津子に別れを告げて、門を出ていった。五、六歩して、彼女の顔が自分の長女に似ているような気がして、立止った。振り返ったが、古びた門には人影はない。彼は二度と近寄ることもない昔の庭を垣越しに見ながら、去っていった。

芝木 好子 Yoshiko Shibaki

1914年東京都生まれ。1941年に『青果の市』で第14回芥川龍之介賞を受賞する。

代表作に『湯葉』『隅田川』『丸の内八号館』の自伝三部作や、『洲崎パラダイス』『青磁砧』『隅田川暮色』『雪舞い』などがある。

底本一覧

新しい日々　『女の庭』集英社文庫　一九八六年
脚光　『別れの曲』集英社文庫　一九九一年
白萩　『紫の山』講談社文庫　一九八八年
晩秋　『紫の山』講談社文庫　一九八八年
冬の梅　『冬の梅』新潮文庫　一九九四年
遠い青春　『女の庭』集英社文庫　一九八六年
老妓の涙　『花霞』集英社文庫　一九八九年
十九歳　『冬の梅』新潮文庫　一九九四年

本書には、今日からみれば不適切な表現がありますが、作品が書かれた時代背景、作品の価値、著者が故人であることなどを考慮し、底本のままとしました。

芝木好子小説集　新しい日々

発行　2021年8月25日
著者　芝木 好子
発行者　北田 博充
発行所　書肆汽水域
〒662-0912
兵庫県西宮市松原町9-2-602
http://kisuiiki.com/
info@kisuiiki.com
乱丁・落丁本は、お手数をおかけしますが小社宛にお送り下さい。
送料小社負担にてお取替えいたします。
価格はカバーに表示してあります。

ISBN 978-4-9908899-5-1 C0093

写真　馬場磨貴
造本　新島龍彦
制作　有限会社篠原紙工
印刷　藤原印刷株式会社
箔押し　有限会社コスモテック
製本　株式会社松岳社
製函　株式会社泰清紙器製作所
用紙　株式会社三村洋紙店

製本　糸かがり丸背上製本　薄表紙
書体　漢字：FOT-筑紫明朝Pr6 L
かな：A-OTFリュウミンPro L-KL
英数字：Adobe Garamond Pro Regular
表紙　OKトップコート四六判Y目 110kg
グロスPP加工
見返し　竹あやGA　さらし　四六判Y目 100kg
本文　コスモエアライト四六判Y目 64.5kg
芯材　片面クラフトボール 9号L判T目 39.5kg
函　ディープマット　四六判Y目 180kg
ボルドー／オリーブ／インディゴ／コルク